SON ADA'NIN ÇOCUKLARI

Son Ada'nın Çocukları

Yazan: Ömer Zülfü Livaneli

© 2014 Doğan ve Egmont Yayıncılık ve Yapımcılık Tic. A.Ş.
Tüm hakları saklıdır.
Adres: 19 Mayıs Cad. Golden Plaza No: 1 Kat:10 Şişli 34360 İSTANBUL
Tel: (0212) 373 77 00
www.de.com.tr

Son Ada adlı eserden çocuklar ve gençler için uyarlanmıştır.

Her 2.000 adet, bir baskı olarak kabul edilmektedir.

40. Baskı: İstanbul, 2017
ISBN: 978-605-09-2306-3
Sertifika no: 11940

Kapak resmi ve iç resimler: Canan Barış
Uyarlayan: Senem Kale
Kapak ve iç tasarım: Havva Alp

Basım yeri: Yıkılmazlar Basın Yayın Prom. ve Kağıt San. Tic. Ltd. Şti.
Adres: Evren Mah. Gülbahar Cad. No: 62/C Güneşli-Bağcılar /İSTANBUL
Tel: (0212) 515 49 47
Sertifika no: 11965

Toplu sipariş için tel: (0212) 373 77 44 **E-posta:** satis@de.com.tr

Zülfü Livaneli

SON ADA'NIN ÇOCUKLARI

Resimleyen: Canan Barış

Doğan Egmont
okumak gelecektir.
www.de.com.tr

Büyük Kapıdan Girmek...[1]

Zülfü'nün yeni romanının konusu, daha doğrusu konuları çok ilginçtir. Pek çok konu bir ana konuya bağlanır, büyük klasikler gibi. Klasikler ana konunun yöresinde, içinde dolanıp dururlar. Zülfü'nün bu romanı da birçok sebepten dolayı klasikler içindedir...

(...) İnce Memed tek tipli bir romandır. Zülfü'nün romanları da tek, yani ana tiplidir. Zülfü Livaneli bir diktatörü yazıyor. O güzelim Türkiye'nin halkları bir demokrasi görmedilerse, durup dururken savaşlara girmişlerse diktatörlerin yüzündendir. Diktatörler her zaman tek kişi değillerdir. Çok kişi de olabilirler.

(...) Zülfü'nün romanı başka bir roman. Yepyeni. Ben bu romanı okuduğumda şaşırdım kaldım.

---

1 *Son Ada* romanındaki önsözden kısaltılarak alınmıştır. (e.n.)

Zülfü yepyeni bir ustalık, yepyeni bir roman getirmişti. Beklemediğim bir yenilikti Zülfü'nün getirdiği. Zülfü'nün yarattığı yeniliği okuyucuya bırakmak istiyorum ya, yapamıyorum. Önce zalimliği gözükmeyen gizli bir zalim. Gururlu ama gururu hiç belli değil. Böylesi adamda ne bulunursa onda da var ama hiç belli değil ya da davranışlarını saklıyor. Biz bu adamları tanıyoruz. Onları çok iyi tanıyoruz.

(...) Bu romanda insanların hepsi de canlı ve yaşıyorlar. Bir de tilkiler var. Bir de orman var, ormanın çamları, tilkilerin vatanı, bir de martılar. Hiç bilmediğimiz martılar... İnsanlardan bile daha güçlü anlatılmış. Zülfüce yaratılmış martılar, başka bir romanda, başka bir yerde olamazdı.

Zülfü bu romanda inanılmaz ölçüler, olanaklar yaratmış. Her şey birbirine uyuyor. Edebiyatta görkemli bir söz vardır, büyük kapıdan girmek. Bu, büyük bir eserin yazarı demek.

Zülfü büyük kapıdan bu romanıyla girmiştir.

Yaşar Kemal

Düşler Dünyasına Açılan İlk Kapılar: Kitaplarımız

İlkokula başladığım Amasya'da, iki dağ arasından akan Yeşilırmak kıyısındaki iki katlı bir evin üst katında otururduk. Babam o kentin savcısıydı. Yeşilırmak her yıl en az bir kez taşar, evin alt kapısını kaplayan sular bizi tepelerdeki tanıdık evlerine sığınmak zorunda bırakırdı.

Nehrin öte yakasındaki dağla ilgili güzel bir masal anlatılır, Ferhat adlı delikanlının, sevdalısı Şirin'e kavuşabilmek için o dağı deldiği söylenirdi. Ben de meraklı bir çocuk gözüyle taşan nehre, dağa, taş köprülere şaşkınlıkla bakar dururdum. Benim için bir masal kentiydi Amasya.

Okuma yazmayı bu kentte öğrendim ve daha büyük bir masal, hikâye dünyası gözümün önüne serildi. O tarihten bu yana da kapıldığım edebiyat büyüsü, gücünden hiçbir şey yitirmeden sürüp gidiyor.

İlkokulun birinci sınıfında, okumayı yeni yeni sökmeye başladığım dönemde evimize, üzerinde adımın yazdığı paketlerle üç dergi geliyordu. Babam beni okuma yazmaya yönlendirmek için üç çocuk dergisine abone yapmıştı.

Dergilerin geleceği günleri heyecanla bekliyor, postacının getirdiği derginin üstüne yapıştırılmış Ömer Zülfü Livaneli adına şaşkınlıkla bakıyordum. O dergileri okurken zevkten başım dönüyordu, başka dünyalara gidiyordum.

Bir süre sonra bu dergilere çocuk kitapları eklendi. Derken okuma serüvenim gençlik romanlarıyla taçlandı. Bugün bile o romanları zaman zaman elime alır zevkle okurum.

Bizim çocukluk dönemimizde televizyon, bilgisayar ve video oyunları yoktu. Arada sırada gidilen sinema dışında en büyük eğlencemiz kitapların sunduğu olağanüstü serüvenlerdi.

O öyküleri kendimiz, zihnimizde görselleştirir, deyim yerindeyse her öykü için kendi düşsel filmimizi yaratırdık.

Bugün de kitapların, yaratıcılığı geliştirmekte böyle önemli bir rol oynadığını, düş gücümüzü daha zengin kıldığına inanıyorum.

Son Ada'nın Çocukları'nın oluşmasında katkılarını esirgemeyen Senem Kale, Canan Barış ve Doğan Egmont çalışanlarına teşekkür ederken, bu kitabı okurken alacağınız zevkin, en az benim masal kentimdekiler kadar büyük olmasını diliyorum.

Ömer Zülfü Livaneli

BİR

"**O**" bir gün çıkıp gelene kadar, dünya üzerindeki en güzel adada, neşeyle yaşayıp gidiyorduk. Adamız öyle güzeldi ki varlığını herkesten saklıyorduk.

Adamızı anlatmaya nereden başlasam bilemiyorum. Şimdi size bu küçük adanın yemyeşil çam ormanlarından, doğal bir akvaryum gibi olan masmavi denizinden, rengârenk balıkların seyredildiği güzel koylarından, sürekli uçan bembeyaz martılarından söz etsem, eminim ki gözünüzde ancak basit bir manzara resmi canlandırabileceğim. Oysaki adamızın eşi benzeri yoktu, sanki büyülü bir yerdi.

Adamız, bütün anakaralara uzaktı. Geceleri mis gibi yasemin kokularına bürünür, yaz-kış aynı ılıman iklimle sarmalanırdı. Ağaçların arasına saklanmış kırk eviyle kendine yeten başlı başına bir dünyaydı burası.

Adanın muhteşem doğasında küçük sürprizler gizliydi. Sabahları denizin üstündeki bembeyaz sisi, akşamüstü çıkan hafif rüzgârın fısıltısını, martı çığlıklarını nasıl anlatmalı? Ya her sabah sislerle sarılmış ve havada asılıymış gibi duran ikiz adanın büyülü görüntüsünü? Ya iki tarafı ağaçlıklı toprak yolun tepesinde buluşup birbirine girmiş olan dalların yarattığı eşsiz gölgeliği? Ya denize dalıp çıkarak avlanan martıları? Ya evlerimizi saran mor begonvilleri, akşamsefalarını?..

Ben henüz çok genç bir yazar olduğum için bunları anlatmaya kelimelerim yetmiyor. Aslına bakarsanız bu hikâyeyi size yazar dayım anlatmalıydı ama o benim yazmamı istedi. Dayım bütün bunları kim bilir ne kadar zengin ve sürükleyici bir dille iletirdi size. O benim aynı zamanda ustamdır da. Bana sürekli kitaplar önerir ve nasıl iyi hikâye yazılacağını öğretir.

Biliyor musunuz, dayım babamla üniversitede tanışmış ve çok yakın arkadaş olmuşlar. Okuldan mezun olduktan sonra bir gün, dayımın çağrısıyla babamın yolu bu adaya düşmüş. Dayım biricik kız kardeşini yani annemi babamla işte burada tanıştırmış. Babam annemi ilk gördüğü an âşık olmuş.

Üçü o kadar iyi anlaşırlardı ki, ne zaman vakit bulsalar bol kahkahalı uzun sohbetlere dalarlardı. Onları dinlemek bana öyle huzur verirdi ki, bu satırları yazarken bile sesleri kulağımda çınlıyor.

Neyse, konumuza dönelim, ne diyordum; adamız öyle güzeldi ki, adada yaşayan büyükler eskiden hiçbir şeyin anlatılmasını istemiyor ve adamızı bir sır gibi gizliyorlarmış. Çünkü çevre kirliliğinin, fakirliğin ve savaşların arttığı ülkemizde, böyle tertemiz bir doğada bolluk içinde, sevgi dolu insanların yaşadığı bir yerin varlığının bilinmesi pek işlerine gelmiyormuş.

Nasıl olduysa rastlantılarla adayı bulmuş kırk mutlu aileydik. Huzurluyduk, adada kimse kimsenin işine karışmaz, hepimiz bir arada barış içinde yaşardık. Anakarada birbirine düşman insanlar arasındaki, baskıcı kuralların hüküm sürdüğü yaşamdan sonra, bu cennet adadaki komşularımızı o kadar yürekten seviyorduk ki, buraya "Son Ada" adını takmıştık. Evet evet; son ada, son sığınak, son insani köşeydi burası. Tek isteğimiz bu mutluluğun bozulmamasıydı.

Televizyon yayınlarını alamadığımız ve internet çekmediği için çılgın dünyamızda ne olup bittiğine dair haberleri ancak haftada bir uğrayan vapurun getirdiği gazetelerden öğreniyorduk. Gazetelerde savaşların, fakirliğin, haksızlıkların arttığı yazıyordu. Ama bunlar ada halkını ancak uzay savaşları kadar ilgilendiriyordu; her şey öylesine uzaktı adadan.

Meğer yanılıyormuşuz. Kötülüklerden uzakta değil, çılgınlığın tam göbeğinde yaşıyormuşuz.

Ne yazık ki, yıllarca sürdürdüğü devlet yönetimini gönülsüzce bırakan "Başkan" adamıza geldiğinde bile göremedik bu gerçeği. Yorgun bir yaşlı olarak dinlenmeye geldiğine inandık.

Oysa Başkan'ın Son Adamız için korkunç planları vardı...

Hikâyeme başlamadan önce galiba size biraz adanın geçmişinden söz etmem gerekiyor.

Bu ıssız adayı yıllar önce çok zengin bir işadamı almış. Yaşlılık yıllarında da güzel bir malikâne yaptırıp, hizmetçileri ve uşaklarıyla birlikte yerleşmiş buraya. Son zamanlarını ülkedeki sorunlardan uzakta, balık tutarak, hamakta uyuyarak geçirmiş.

Bu arada yalnızlıktan canı sıkıldığı için birkaç tanıdığını çağırıp ev yapmaları için cesaretlendirmiş. İnsanlar gelip, onunkinden daha küçük evler yapmışlar. İşadamı, gelenlerden arazi parası falan istememiş. Zaten doğal malzemeler kullanılarak ve yardımlaşarak yapılan kütükten evler için, adanın ormanlarından yararlanılmış. Herkes eşine dostuna söyleye söyleye ada kırk eve ulaşmış.

Zengin işadamı bu noktada adaya gelişleri durdurmuş ve daha fazla ev yapılmasına izin vermemiş. Çünkü adanın doğal güzelliğinin, sessizliğinin ve yemyeşil ormanlarının bozulmasını istememiş.

Adanın asıl sahibi öldüğü zaman ev büyük oğluna geçmiş. Zaten işle güçle fazla ilgisi olmayan bu amca da adada yaşamayı tercih etmiş.

Zamanla kendisi gibi adalılar da o ailenin adanın sahibi olduğunu unutmuş. Sadece daha büyük bir evde yaşayan sıradan bir adalı olarak görülmeye ve 1 Numara olarak çağrılmaya başlanmış. Burada çok komik bir gelenek vardır; biz buradaki insanlara daha çok ev numaralarıyla sesleniriz.

Mesela yazar dayım 7 Numara diye anılır.

Çünkü dayım kitaplarını yazmak için sakin bir köşe ararken, kitaplarını çok seven bir dostu ona kendi evini vermiş. 7 numaralı ev, adadaki ilk evlerden biridir.

Annemle babam da burada tanışıp evlenmeye karar verince hemen adada bir ev yapmaya girişmişler. Kırkla sınırlandırılmış olan ada evlerinin sondan beşincisini yapma fırsatını yakaladıkları için bizim aileden 36 Numara diye söz edilir.

Ben doğduktan sonra da burada yaşamaya devam ettik. Ne yazık ki adada okul olmadığı için hiç istemesek de anakaraya döndük ama adanın o eşsiz güzelliği gözümüzün önünden gitmiyor, her yaz koşarak adaya geliyorduk.

Sonra bir gün babam, ben sekizinci sınıftayken hastalandı ve aniden aramızdan ayrıldı. Biz de annemle okulum kapanır kapanmaz, yaz tatili için, mutlu günlerimizin anısına adamıza geri döndük ve hiç gitmemişiz gibi hemen adadaki yaşama ayak uydurduk.

Evlerimiz haftada bir uğrayan vapurun açıkta demir attığı ve içindeki malzemenin küçük motorlarla adaya taşındığı iskelenin bulunduğu uçtan başlar; 1, 2, 3... diye 40'a kadar sıralanarak gider.

İskelenin yanında, her türlü ihtiyacımızı karşılayan bir bakkal vardır. Bakkal amca aynı zamanda günlük taze balıklar ile diğer deniz ürünlerinin sunulduğu basit bir çardak altını da işletir. Ailesiyle birlikte yıllar önce gelip adaya yerleşmiş ve adanın ayrılmaz bir parçası olmuş. Ona kısaca "bakkal" diyoruz. Çünkü onun numarası yok. Adalıların neredeyse elinde büyümüş olan dilsiz oğlu ve karısıyla dükkânın arkasındaki küçük, iki odalı kulübede yaşar.

Evet!.. Adayla ilgili tüm bilgileri verdim sanırım. Artık hikâyemi anlatmaya başlayabilirim. Olamaz hayır, adadaki en eski komşularımızı, adanın gerçek sahiplerini anlatmayı unuttum: martıları.

Vahşi çığlıklarla denize dalıp çıkan, bir iki karış derinlikten kaptıkları balıkları büyük bir zafer duygusuyla karaya getiren, çıkardıkları çeşitli seslerden oluşmuş bir dilleri olan martıları.

Hiçbir adalının rahatsız etmediği, adanın çakıllı kıyılarının asıl sahibi olan, yumurtalarını o kayalıklara bırakıp gözlerini ufuk çizgisinden ayırmadan, olası bir düşmanı bekleyen martıları.

Bazı geceler evlerimizin taş teraslarında, iriyarı bir adamın yürüyüşüne benzer sesler çıkararak dolaşan martıları.

Bu beyaz gölgelerle o kadar içli dışlı olmuştuk ki, artık neredeyse onların kendi aralarında konuştuğu dili öğrenmiştik. Ne zaman kızıyorlar, ne zaman birbirlerini uyarıyorlar, ne zaman aşk sesleri çıkarıyorlar, ne zaman yavrularını azarlıyorlar, anlayabiliyorduk.

Adaya ilk gelenlerin yaptığı en akıllıca iş, buranın asıl sahipleri olan martıları ürkütmemek, onların yaşamını tehdit etmemek olmuş. Martılar adaya ilk kez ayak basan bu garip yaratıkları yani insanları kuşkuyla süzmüş önce, onlardan yumurtalarına ve yavrularına bir zarar gelip gelmeyeceğini anlamak için yıllar süren bir tür sınav uygulamışlar. Sonunda insanlar ve martılar arasında bir uyum sağlanmış, bu yaban kuşlar ile savaşın, kıtlığın hüküm sürdüğü büyük şehirlerden kaçan insanlar sessiz bir sözleşmeyle yaşam alanlarını birbirine karıştırmama konusunda anlaşmışlar.

Ne yazık ki bu anlaşma, bir evin satılmasıyla sonsuza kadar değişti.

O güne kadar adadaki evlerin hiçbiri satılmamıştı, çünkü sahipleri içinde oturmayı ya da bir yakınlarını adaya göndermeyi tercih ediyorlardı. Ama 24 numaradaki yaşlı amcamız bir gün kalp krizi geçirip de doktorumuz onu kurtarmayı başaramayınca, amcanın başkentte yaşayan oğlu evi satılığa çıkardı.

Biz bunu, oğlundan değil de gazetelerdeki emlak satış ilanlarından öğrendik. Olay, adada büyük heyecan uyandırdı. Herkes, evin satılmasına çok üzüldü. 24 Numara'yı ben de çok severdim. Bana balık tutmayı o öğretmişti.

Gazetelerin birinde "Yeryüzü cenneti adada satılık ev" başlığı altında, adamızla ilgili övgülere yer veriliyordu. Bu gazete ilanı, yıllardır herkesten sakladığımız Son Adamızın, küçük topluluğumuzun herkes tarafından bilinmesi ve huzurumuzun bozulması anlamına geliyordu.

Kim bilir, evi nasıl biri alacaktı?

Aslında ben içten içe seviniyordum, çünkü belki gelenlerin benim yaşımda çocukları olurdu ve dilsiz arkadaşımla birlikte onlarla oyun oynardık.

Ah bütün adalılar gibi ben de çok saftım, yaklaşan tehlikeyi göremiyordum.

Evin satılması herkesi öyle huzursuz etmişti ki, annem para toplayıp 24 numarayı satın almayı önerdi ama adadaki yaşamın tembelliğine kapılmış olan adalılar, bir türlü karara varıp, bunu uygulamaya koyamadılar. Çünkü dünyevi işlere olan ilgilerini yitirmişlerdi. Hayatlarında ne trafik sıkışıklığı vardı, ne iş, ne faturalar, ne banka.

Tüm adalılar sabah üzerlerine geçirdikleri eski püskü giysilerle evden çıkıyor, komşularıyla sohbet ediyor, kahve içiyor, bazen denize giriyor, bazen balık tutuyor, ağır ağır akan bir su gibi acele etmeden yaşayıp gidiyorlardı.

Sonunda bir gün bu heyecanlı bekleyişimiz son buldu.

Denizi yara yara süratli bir teknenin bize doğru geldiğini gördük. İçinden takım elbiseli, siyah gözlüklü, telsizli adamlar indi. Bakkal amcayla bir süre konuştuktan sonra onu da alıp 24 numaraya gittiler. Evde bir saat kaldılar, içlerinden biri elindeki büyük fotoğraf makinesiyle evin bir sürü fotoğrafını çekti. Sonra adayı dolaştılar ve tekrar tekneye binip gittiler. Bizlere selam bile vermediler.

Kimdi bunlar, ne yapıyorlardı? Kimin için çalışıyorlardı?

Onlar ayrıldıktan sonra hemen merakla başına üşüştüğümüz bakkal, hepimizin isimlerini bildiklerini söyledi.

Çok garipti, nereden almışlardı bu bilgileri?

Yazar dayım ufka gözlerini dikerek şöyle söylemişti:

"Belli ki adaya çok önemli biri geliyor, bu kişiler de onun korumaları. Hazırlanın dostlar, adamız artık eskisi gibi olmayacak."

Sonra bir gün, "O" geldi. Ve dayımın dediği gibi adamızın tarihi ve talihi sonsuza kadar değişti.

İKİ

O sabah, beyaz vapur her zamanki saatinde geldiğinde, çoğumuz merak içinde iskelede toplanmıştık.

Bu merak, gelenin kim olduğuyla ilgili değildi artık. Çünkü aradan geçen günler içinde bazı işçiler gelmiş, 24 numaralı evin iç ve dış boyasını yenilemiş, bahçeyi düzenlemiş, evi pırıl pırıl yapmıştı. Bu sırada işçilerden kimin geleceğini öğrenmiştik.

Adamızı eski bir devlet başkanı şereflendiriyordu.

Ne güzel diye düşünmüştüm ben bu haberi ilk duyunca. Ülkemizi yönetmiş koskoca bir başkan bizim komşumuz olacaktı. Ama annemlerin ve komşularımızın tedirgin bakışlarını görünce bir şeylerin ters gittiğini sezmiştim.

Herkes birbirine soruyordu. Niye geliyordu buraya, ne işi vardı? Onca lükse alışmış olan biri bu sakin, basit adada ne bulabilirdi ki! Hem Başkan'ın dostu kadar düşmanları da olabilirdi ve böylece adamızın güvenliği tehlikeye girebilirdi.

Başkan gelmeden önce bir akşam yazar dayımla konuşmuştuk. Dayım Başkan'ın gelişinden çok korkuyordu.

"Eskiden ülkemizi yönetirken yaptığı gibi çok sert kurallar koyarak adadaki huzurumuzu bozacak. Özgür yaşamımızı kısıtlayacak."

"Ama dayı ya, o artık başkan değil ki, böyle bir gücü de yok."

"Eskiden vardı. O bir diktatördü. Ülkedeki her şeye o karar verirdi. Kimseye konuşma ve davranış özgürlüğü tanımazdı."

"Ben senin gibi karamsar değilim. Başkan belki de sakin bir emeklilik hayatı istiyor. Yaptıklarının yanlış olduğunu anlamıştır. Son Adamızın barış dolu sessizliğinde dinlenmek istiyordur."

Yazar dayım beni çok saf buluyordu. Ben, Başkan'ın iyi niyetli olduğuna inanıyor; ülkede kavgalar çıkmaması için sert kurallar koyduğunu düşünüyordum.

"Tıpkı baban gibisin. Hep umutlu hep iyimsersin.

Bunlar çok güzel özellikler ama bazen gerçekleri görmeni engelliyor."

"Hiç de değil. Hem pek çok komşumuz da benim gibi düşünüyor, Başkan'a gereken saygıyı göstermemiz gerektiğini söylüyorlar."

İşte bu düşüncelerle bütün ada halkı Başkan'ın geleceği gün büyük bir heyecanla iskelede bekleşiyorduk.

Ve birden vapurun güvertesinde o göründü. Hepimizin hayatını sonsuza dek değiştirecek olan kişi: Başkan.

Beyaz takım elbiseli, gri kravatlı, hasır şapkalıydı. Gazetelerde yüzlerce kez gördüğümüz, resimlerinden tanıdığımız sert yüzüyle dimdik duruyordu.

Motor yavaşça vapura yanaştı, önce bavullar taşındı. Sonra Başkan ve ailesi motora bindi ve adamıza doğru yaklaşmaya başladı.

Sonunda korumalarının yardımıyla Başkan adamıza ayak bastı.

Elinde şık bir baston vardı. Arkasından, eşi olduğunu tahmin ettiğim beyaz giysili yaşlı bir teyze ile iki çocuk indi.

On üç yaşlarında görünen kız, kendini beğenmiş yüz ifadesiyle, sürekli somurtuyordu. Erkek olan

ise daha güler yüzlüydü ve sanırım on yaşların-
daydı. Başkan'ın torunları olmalıydılar. Herhalde
yaz tatili için gelmişlerdi.

İskelede toplanmış olan adalılar, bu ailenin şık-
lığı yanında çok sade kalıyordu. Kimimiz mayoyla
inmişti iskeleye, kimimiz tek bir şortla; en derli
toplumuz kısa bir şort ve fanila giymişti. Annem
gibi pek çok kadın da mayolu ya da şortluydu.

İçinde yaşadığı koşullar ve iklim insanları de-
ğiştiriyor. Adada geçen yıllardan sonra kravat, ce-
ket gibi giysiler adalıları boğar olmuştu. Zamanla
hiç fark etmeden tropik adaların yerlileri gibi gi-
yinmeye başlamıştık.

Başkan iskeleye ayak basınca bastonuna dayan-
dı ve bizleri süzüp, "Merhaba arkadaşlar!" diye ba-
ğırdı. Büyüklerin çoğu kendilerini gülünç duruma
düşüreceklerini hesap edemeden, teftiş gören as-
kerler gibi sert bir sesle, "Sağ ol!" diye bağırdılar.
Çok komik görünüyorlardı.

Sonra Başkan tek tek adalıların elini sıkmaya
başladığı için büyükler sıraya girdi. Karısı da ar-
kasından geliyordu. Torunlarıysa uzakta duruyor,
sıkıntı içinde izliyorlardı bu işin bitmesini.

Dilsiz arkadaşımla ben gözlerimizi çocuklardan
ayıramıyorduk, öyle mutlu olmuştuk ki onların

gelmesine. Hatta ben, merhaba demek için yanlarına gitmiştim ama ikisi de yüzüme bakmadan elimi sıkmışlardı da çok bozulmuştum.

Adamızı tanıtırken size söylemeyi unuttum: Adada benim ve bakkalın oğlu dışında çocuk yoktu. Gençler ya da küçük çocuğu olan çiftler için bu ada fazlasıyla sakin ve her şeyden uzaktı. Düşünsenize, internet çekmiyor, televizyon çalışmıyordu. Ama yapacak bir dolu şey vardı. Benim keyfim yerindeydi doğrusu. Aslında burada ihtiyaç olmadığından okul da yoktu. Bu yüzden hiç istemesem de okullar açılınca, ben de anakaraya geri dönmeye mecburdum.

Zaten yaşanılan o korkunç günlerden sonra adamızda yaşamak imkânsız hale gelecekti.

Ey adamız, bize gösterdiğin onca güzelliklerden sonra sana bu kötülüğü yaptığımız, düşmanımızı abartılı bir saygı göstererek karşıladığımız için bizi bağışla!

Sen de öyle dayıcım. İlk günden beri uyarılarını dinlemediğimiz için bizi hoş gör!

Keşke tekrar başa dönmek ve yaşadığımız kötü anları geri alabilmek mümkün olabilseydi. Keşke Başkan adaya hiç gelmemiş olsaydı ya da o akşam basit çardak altında, yeni tutulmuş balıklarla, bir hoş geldin partisi düzenlemeseydik.

Bunları düşündüğüm zaman yüzüm kızarıyor ama o partide adalılar adına bir hoş geldin konuşması yapmak için 1 Numara'yı zorladığımızı ve hep birlikte ayağa kalkıp, "Hoş geldiniz!" diye haykırdığımızı da yazmak zorundayım.

Bizim bu konukseverliğimize karşılık vermek isteyen Başkan, ayağa kalkıp bir konuşma yaptı.

"Sevgili komşularımız," dedi gür bir sesle, "eşim ve ben, adanıza geldiğimiz ilk gün gösterdiğiniz bu samimi kabul töreni için size teşekkürlerimizi sunuyoruz. Vatanımızın her köşesinin cennet olduğunu bilecek kadar çok yaz, kış, sonbahar ve ilkbahar geçirdim. Ama bu cennet vatan içinde adanızın gerçekten apayrı bir yeri var. Uzun çalışma yıllarından sonra eşimle birlikte geçirmek istediğimiz sade hayat için burasının uygun bir yer olduğunu düşünüyorum. Bu yüzden, bana bu adadan yıllar önce bahsetmiş, hatta ilk evi yaparken beni de burada bir ev yapmaya davet etmiş olan arkadaşımı, yani bu adanın ilk sahibini saygıyla anıyorum."

Konuşmanın burasında hepimiz 1 Numara'ya baktık, babasının yaptığı bu davetten haberi olup olmadığını anlamaya çalıştık ama o da en az bizim kadar hayretle dinliyordu Başkan'ın sözlerini.

"O zaman ülkemizin yönetiminde çok yoğun çalıştığım için adayı gelip görmeye vakit bulamamıştım. Ama yıllar sonra bir gazete ilanında bu adada satılık bir ev olduğunu öğrenmemin, büyük bir şans olduğunu düşündüm. Artık biz de sizlerden biriyiz. Bizi komşunuz olarak kabul etmenizden onur duyuyoruz!"

Ne saf, ne aptal, ne dünyadan habersizmişiz. Başkan'ın bu konuşması, belki de o güne kadar

yaptığı yüzlerce politik konuşmayı dinleyenler gibi bizi de heyecanlandırmış, içimizi iyi dilekler ve dostlukla doldurmuş, bu yeni, sevimli komşularımızı tonton ihtiyarlar olarak bağrımıza basmamıza ve söylediklerine inanmamıza yol açmıştı.

Yemekten sonra kahveler içilirken adalı teyzeler, ablalar, Başkan'ın karısının çevresine toplanmışlardı. O da aynen kocası gibi kadınlar grubuna başkanlık eden bir hava içindeydi. Belki de onlar hiçbir şey yapmıyorlardı da bu havayı onlara biz veriyorduk; daha doğrusu Başkan'ın etkisine kapılmış büyükler veriyordu. Ben çocuk aklımla bile Başkan'ın şimdiden adayı değiştirdiğini hissetmeye başlamış yine de sesimi çıkartmamıştım.

Akşam güzel, hava yumuşak, denizden esip yüzümüzü yalayan serinletici ve minik su zerrecikleri getiren rüzgâr pek hoştu.

Keşke hoş olmasaydı. Keşke o gece denizler tanrısı Poseidon dalgalar arasından kükrese, üstümüze gecenin bütün lanetli fırtınalarını salsa, o uğursuz karşılama törenini yok etseydi.

O gecenin benim için en korkunç anı Başkan'ın kız torununun söylediklerini duymam ve hiçbir şey söyleyemememdi:

"Of dede, niye buraya geldik ki, her şey çirkin,

yamuk yumuk, şuradaki pis çocuklar bile."

Yamuk dediği benim dilsiz arkadaşımdı. Ah nasıl olmuştu da o an, ona cevap verememiştim. Hâlâ düşündükçe sinirleniyorum. Sanırım ben de büyükler gibi Başkan'ın gizemli etkisi altındaydım. Kuzu gibi sessizce önümdeki yemeği yiyordum.

Yazar dayımın bu toplantıya gelmediğini söylemeye gerek yok sanırım. O, henüz Başkan'la tanışmayan adadaki tek kişiydi.

Herhalde Başkan'la tanışmaya gittiğimiz için hepimize kızıyordu. Ama ne yapalım? Biz de annemle, başımıza geleceklerden habersiz, herkes ne yapıyorsa yapıyor, ortama uyuyorduk.

ÜÇ

Dayımı iki gün sonra bir sabah, Mor Su dediğimiz yerde buldum.

Adamızda çakıllarla kaplı birkaç yüzme yeri vardı: Mor Su, Lara ve Derin Su. Gününe göre rüzgârın ve dalganın daha az olduğu kıyıyı seçer, yüzmek için orada toplanırdık.

Bu üç koy dışındaki kıyılar martılara ayrılmıştı. Onların yaşam alanlarına hiçbir zaman girmezdik. Bu kıyılarda martılar yumurtlar, kuluçkaya yatar, yavrularını korur, insanlara hiç yaklaşmayan yaban bir tür olarak yaşamlarını sürdürürdü.

O gün rüzgâr batıdan esiyordu, yani Mor Su'da denize girilmezdi ama garip bir önseziyle Mor Su'ya yöneldim. Belki de hiçbirimizi görmek istemeyen yazar dayımın böyle bir aykırılık yapacağını hissetmiştim.

Gerçekten de yanılmamışım. Dayımı Mor Su'da, buraya adını veren mor dalgaların kabarışını izleyip rüzgârda dağılan saçlarını toplamaya çalışırken buldum.

Hiç ses çıkarmadan yanına oturdum. Bir süre kabararak üstümüze gelen, kıyıdaki sonsuz gelgit oyununu tekrarlayan denizi, sulara dalıp çıkan martıları izledik. Tıpkı eskiden babamla yaptığımız gibi...

Bir süre sessiz kaldıktan sonra dayıma şöyle dedim:

"Sence, daha önce ülkesini baskıyla yönetmiş, halkına kötü davranmış birine yani Başkan'a, aynı şekilde davranmak doğru mu dayı?"

Cevap verip vermemeyi düşünürmüş gibi biraz bekledi, sonra, "Evet doğru değil ama onun nasıl biri olduğundan haberin bile yok," dedi.

Yine karşılıklı sustuk. Sonra ben devam ettim:

"Öf evet, bilmiyorum. Ama eskiden kötü davranmış olması hâlâ kötü olduğu anlamına gelmez."

"Bunları seninle tartışmayacağım."

"Neden? O da bir insan! Onu da adalı komşularımız gibi iyi birine dönüştürebiliriz."

"Yeter artık. Sen geçmişte ülkemizde neler yaşandığını, onun insanlara ne kadar acı çektirdiğinden, daha kolay yönetebilmek için herkesi birbirine nasıl düşman ettiğini bilmiyorsun! O zaman daha doğmamıştın bile."

"Olabilir ama bu durumda ne yapalım? İki yaşlı insanı ve torunlarını adamızdan atalım mı? Sen demez miydin sevgi her şeyi çözer diye. Onlara bir şans vermeliyiz."

"Bak, o her şeyi yasaklamıştı. İstediğin kitabı okumak bile suç sayılırdı. Yasaklarına uymayanlara çok ağır cezalar verirdi. Böyle bir adama nasıl bir şans veririz? Neyse sen daha çocuksun, anlamazsın."

"Eskiden böyle konuşmazdın, bana arkadaşım derdin."

Çok kırılmıştım, gözlerimden yaşlar akmaması için kendimi zor tuttum. Dayımın Başkan'dan neden bu kadar çok nefret ettiğini anlamak istiyordum. Benimle konuşmasına ihtiyacım vardı.

Babam bana "İyiler her zaman kötüleri yenecek kadar güçlüdür," derdi. "Yeter ki, güçlerinin farkına varıp birleşsinler."

Oysa dayım, umutsuzluğa kapılmış gibiydi. Gücümüzün farkında değildi. Bunu ona hatırlatmak, onu mutlu görmek istiyordum. Çünkü onu çok seviyordum. Hayatta annemden sonra en değer verdiğim insandı.

"Dayı merak etme o tek kişi, biz çok kişiyiz, hem iyilik her zaman kazanır," diyerek göz kırptım.

"Keşke hayat masallardaki gibi olsa," dedi dayım, hüzünlü gözlerle bana bakarak. "Boşver bunları, hadi diğer koya gidip denize girelim."

Başkan'ın gelişi daha şimdiden adayı etkilemeye başlamıştı. Aramızdaki o garip konuşma korkunç günlerin ilk habercisiydi.

Çoğu zaman dayım benimle birlikte Derin Su'da çocuklaşırdı. Eskiden babamla yaptıkları gibi iki ayrı yerden suya dalar, sonra derinliklerde birbirimizi bularak el ele tutuşur ve bir zafer kazanmışçasına suyun yüzüne fırlardık. Sudan, önce birbirine tutunmuş dört el çıkardı, sonra da biz.

Akşamüstleri bir araya gelir, kitaplardan ve daha pek çok konudan konuşurduk.

Her zaman çok acımasız bir eleştirmendi. Yaptığım yazı denemelerini ona götürür, nasıl bulduğunu sorardım. O da bana şöyle derdi: "Ah, yine okuduğun yazarların etkisinde kalmışsın. Unutma, en önemli şey kendi sesindir. Yazdıkların, dünyada hiçbir tarza, hiçbir modaya benzemeyecek kadar senin olmalıdır. Elin gibi, gözün, bakışın, gülüşün gibi senden bir parça."

Sevgili arkadaşım, dayım, acımasız öğretmenim, şimdi bu satırları okuyorsan nasıl buluyorsun acaba? İşte belki de ilk kez senin istediğin gibi yazıyorum, kimseye özenmiyorum, kaba saba da olsa kendim anlatıyorum hikâyemi. Çünkü bu sefer bir derdim var ve onu anlatmam gerekiyor.

DÖRT

Başkan ve ailesinin adaya yerleştiği ilk günlere ait pek bir şey yok aklımda. Evlerinden çıkmıyorlardı, onları görmüyorduk. Ada, eski durgun hayatına geri dönmüştü. Tek değişiklik, Başkan ve ailesinin yerleşmesine yardım etmek için adada kalan, kıyıya yanaşmış bir teknenin içinde uyuyan iki kişiydi.

Bu kara gözlüklü, ciddi görünümlü adamlar kimseyle konuşmuyor, yemeklerini bile teknede yiyorlardı. Adanın her tarafını gezdiklerini, incelediklerini, notlar aldıklarını görüyorduk. Belli ki Başkan'a yönelebilecek tehlikeleri, adanın güvenliğini gözden geçiriyorlardı.

Bu adamların bir süre sonra adayı terk edeceğini, geçici olduklarını düşündüğümüzden onlara fazla aldırmıyorduk doğrusu. Ama sizin de tahmin ettiğiniz gibi, yine yanılıyorduk.

Bütün adalıların keyfi yerine gelmişti, çünkü yeni komşuların adada hiçbir şeyi değiştirmeyeceğine inanmaya başlamıştık. Ada, ülkemizden çok uzak olduğu için gazetecilerle çevrelenme riski de yoktu. Belki de kendisi adına doğru bir seçim yapmıştı Başkan.

Mor Su'daki konuşmamızdan sonra dayımın söylediklerini uzun uzun düşünme fırsatım olmuştu. Evet, dedikleri doğruydu; ne yazık ki eskiden mor dağları, derin uçurumları, mavi denizleri ve barışçı halkıyla ünlü olan ülkemiz, şimdi bir türlü sonu gelmeyen iç çatışmalarla sarsılıyor, şiddetin önü bir türlü alınamıyordu.

Annemin hep anlattığı, kendi çocukluğundaki huzur ve barış dolu, güzel yurdumuz âdeta bir savaş alanına dönmüştü.

Bunları biliyordum ama büyüklerin neyi paylaşamadıklarını, neden diktatörlerin çoğaldığını anlayamıyordum.

Yabancı ülkelerdeki gazeteciler halkımızın yaşadığı acıları sürekli olarak gündemde tutuyor, ülkemizin yöneticilerini eleştiriyorlardı. Bunları da büyüklerin konuşmalarından duyuyordum.

Eskiden barış içinde yaşayan insanlar nasıl olup da böyle birbirlerine düşman oluyorlardı? Bu sorumun cevabını, Son Adamızın acı hikâyesinde bulacaktım.

Yine de tıpkı babam gibi, ülkemizdeki insanların tekrar dost olabileceğine dair umudumu yitirmemiştim. Kim bilir? Belki benim yaşımdakiler büyüyünce ülkemize tekrar barış gelir.

Annem dayımı ne kadar sevse de, onunla ülkedeki sorunlar hakkında ya da Başkan'ın yaptıklarıyla ilgili konuşmamdan pek hoşlanmıyordu. Beni bu konulardan uzak tutmaya çalışıyordu. Anakaradaki evimize geri döndüğümüzde sadece derslerimle ilgilenmemi istiyordu.

Oysa ben dayımın gazetelerini gizli gizli okuyup ülkemizde neler olduğunu az da olsa kavrayabiliyordum.

Yöneticiler kendi çıkarları için ülkenin zenginliklerini kullanıyorlar, doğal güzellikleri yok etmekten, halkı bilgisiz ve fakir bırakmaktan kaçınmıyorlar, halkı birbirine düşman ediyorlardı. Böylece insanlar birbirleriyle kavga etmekten, yöneticileri eleştirmeyi unutuyorlardı.

Yöneticiler, halkı iyi yürekli ve adil olduklarına

inandırmak için, milli bayram günlerinde halkı selamlarken, bir çocuğun başını okşarken, kimsesiz çocuklar yurdu gibi yerleri ziyaret ederken fotoğraflarını çektirip gazetelerde zorla bastırıyorlardı.

İşte ülkede yaşanan bütün bu üzücü olaylar adamıza ulaşmamıştı, ta ki Başkan adamıza ayak basana kadar.

Artık size adadaki ilk küçük şokumuzu anlatmalıyım. Hani daha önce sözünü ettiğim ağaçlık yolumuzu hatırlıyor musunuz?

İki yanında upuzun ağaçların sıralandığı ve bu ağaçların yukarıda birbirine girerek doğal bir gölgelik oluşturduğu, yeşil bir tünele benzeyen serin yolumuz... Öğle güneşi altında bakkaldan ya da iskeleden ter içinde eve dönerken bu yola girer girmez, kuytu yeşil ormanların gölgeli serinliğiyle ferahlardık. Başımızın üzerindeki gölgelik öylesine sıktı ki güneşi görmüyorduk bile. Bu doğa harikası, adadaki en büyük hazinelerimizden biriydi.

Bir gün, o yoldaki ağaçların budanmaya başladığını gördük. Başkan'ın adamları büyük bir beceriyle ağaçları buduyor, onları birer yeşil duvar oluşturacak şekilde kesip biçiyorlardı. Bu çevik adamlar o kadar güçlüydüler ki ağaçlara kolaylıkla tırmanıyor, yukarıda birleşen dalları hızla kesiyorlardı.

Ada halkı olayı duyup gelene kadar ağaçların yarısı budanmıştı bile. Yola toplanmış, şaşkın şaşkın iki yanımızda oluşan ağaçtan duvarlara bakıyorduk. O doğal, kendi haline bırakılmış ağaçlar, saray bahçelerindeki bahçıvanların şekil verdiği yeşil heykellere dönüşmüştü. En korkuncu da artık tepemizdeki gölgeliğin kalmamış olmasıydı. Güneş doğrudan doğruya yola vuruyordu. Tahmin edebileceğiniz gibi ilk şaşkınlık anını atlatır atlatmaz tüm adalılar adamları durdurmaya çalıştı ama onlar bizim yüzümüze bile bakmıyor ve işlerine devam ederken, "Başkan'ın emri! Onunla konuşun!" diyorlardı.

Adalılar baktı ki adamlara söz dinletemeyecekler, apar topar Başkan'ın evine koşup kapısını çaldılar, ben de peşlerinden koştum tabii.

Annem eskiden olsa benim böyle bir işe karışmamı istemezdi ama babamın da çok sevdiği bu ağaçların budanması onu da çok üzmüş, "Sen de Başkan'la konuşacak ekibe katılabilirsin," diyerek bana izin vermişti.

Başkan'ı görür görmez, "Aman şu adamları hemen durdurun! Göz göre göre ağaçlarımızı mahvediyorlar!" diyecektik.

Ben de dilim döndüğünce küçükken babamla ağaçlı yolda ne güzel oyunlar oynadığımızı anlatacaktım ama olaylar hiç de planladığımız gibi gelişmedi.

Kapıyı kız torunu açtı. Ona hemen Başkan'ı görmek istediğimizi söyledik, hatta en aceleci birkaç amca içeri girmeye bile çalıştı. Ama kız yüzümüze şaşkınlıkla baktı, sonra, "Dedem çalışıyor," dedi, "rahatsız edilmeyi hiç sevmez!"

Hayatımda böyle gıcık bir kız görmemiştim; ona çok acil bir durum olduğunu söyledik ama kimseyi dinlemiyordu: "Çalışırken dedemin odasına gitmemiz, kapısını çalmamız kesinlikle yasaktır!" dedi. "Ben bile giremem. Saat 12'de gelin."

Ve yüzümüze kapıyı güzelce kapattı. Birbirimize baktık, sonra tekrar yola koştuk. Artık Başkan'ı görsek de faydası yoktu, iş işten geçmişti.

Ağaçların tamamı budanmıştı. Gözlerime inanamadım, küçük bir bebek gibi neredeyse ağlayacaktım. 1 Numara, "Bu işte bir yanlışlık olmalı!" dedi. "Başkan böyle bir emir vermiş olamaz. Herhalde bu adamlar yanlış anladılar. Yoksa Başkan durup dururken, adamızın can damarı yolunun yeşilliğini niçin yok etsin."

Birkaç kişi daha ona hak verdi. Belki de ortada korkunç bir yanlış anlama vardı; Başkan kendi bahçesindeki ağaçların budanmasını emretmişti de adamlar bunu yoldaki ağaçlar olarak anlamışlardı.

Sonunda çoğunluk bu görüşe katıldı. "Evet, evet!" dediler. "Bu, büyük bir yanlışlık. Başkanımız böyle bir emir vermiş olamaz. Yazık oldu ama ne yapalım ağaçlar yine büyür!"

İçimde işin böyle olmadığına dair büyük bir kuşku belirmişti. Çünkü dayımın söylediklerini ve Başkan'ın ülkesine yaptıklarını aklımdan çıkaramıyordum. Saat tam 12'de ziyaretine gittiğimiz Başkan da kuşkularımı doğruladı zaten.

"Bakın değerli komşularım," dedi, "siz belki uzun yıllardır burada yaşadığınız için gözünüzün önünde olup biten bazı düzensizliklere, kargaşaya alışmışsınız. Her şeyi kendi haline bırakmışsınız. Oysa insan toplumları böyle yaşayamaz. Hem kendine, hem oturduğu yere çekidüzen vermek medeniyetin gerekliliğidir.

Gelir gelmez gözüme ilk çarpan şey, toprak yoldaki o korkunç manzara oldu. Ağaçlar alıp başını gitmiş, birbirine dolanmış. Adamlarım bu işi hallettikleri için onlara teşekkür etmelisiniz. Bundan böyle o yoldan gelip geçerken, iki yanınızdaki düzgün, insan eli değmiş, ferahlamış ağaçları görecek ve adanızla gurur duyacaksınız."

Başkan'ın evinin bahçesindeydik, Başkan verandada olduğu için bizden biraz daha yüksekteydi. Beyaz bir pantolon ve tiril tiril beyaz bir gömlek giymiş, güneş gözlüğü takmıştı. Ayağında da beyaz pabuçlar vardı. Elini cebine sokmuş, başı biraz yukarıda, o etkileyici ses tonuyla konuşuyordu. Oraya adamlarını şikâyet etmek için gelmiştik ama o bizleri neredeyse ağaçları kendi haline bıraktığımız için özür dileyecek duruma getirmişti.

Büyüklerden de 1 Numara'nın pantolon giymiş olduğunu fark ettim. Oysa gece gündüz şortla dolaşır, hiç pantolon giymezdi. O da Başkan'a mı benziyordu gitgide?

Aramızdan bir iki kişi cılız bir sesle itiraz edecek oldu, "Efendim, o ağaçların yukarıda birleşmiş olan dalları güzel bir gölge sağlıyordu. Şimdi yok oldu. Kabak gibi güneşin altında kaldık," dediler.

"Hımmm!" dedi Başkan. Düşünceli bir tavırla hepimizi süzdü. "Demek ki bazı konularda farklı düşünüyoruz. Bu doğaldır ve bunları öğrenmem iyi oldu. İnsanlar her şeyi konuşa konuşa halleder. O zaman bana izin verin bu konu üzerinde biraz düşüneyim değerli komşularım. Sanırım yakında size bir teklifte bulunacağım."

Konuşma bitmişti. Bizler evlerimize dağılırken, bu önerinin ne olacağı üzerinde düşünmeye başlamıştık bile.

Son günlerde aramıza karışmayan, yabani bir martı gibi kendini dağlara taşlara vuran yazar dayım ise, o akşam evine gidip de başımıza gelenleri anlattığımda bana tek bir cümle söyledi:

"Oyun daha yeni başlıyor benim saf arkadaşım!"

BEŞ

Yolun çıplak haline bir türlü alışamamıştık, her gelip geçtiğimizde –ki bu, günde en az üç kez oluyordu– kendimizi kafası yeni tıraş olmuş biri gibi hissediyorduk. Güneş olanca gücüyle tepemizdeydi. Bu iş, martıların da kafasını en az bizimki kadar karıştırmış olmalı ki sürüler halinde yolun üzerinde toplanıyor, eskiden yolu görmelerini engelleyen birbirine girmiş ağaç dallarının gerçekten orada olup olmadığından emin olmak ister gibi pike yapıp duruyorlardı. Bir iki kez benim de başımın üstünden yıldırım gibi geçtiler.

Bu kuşlar çok hızlıdır ve yakınına geldiği zaman insanı gerçekten korkutur. Uzaktan beyaz gövdeleri, havadaki enfes süzülüşleri ve hatta çığlıklarıyla tanınan martıları yakından gördüğünüzde korkarsınız. Çünkü insanla hiç yakınlaşmayan, vahşi görünüşlü yırtıcı hayvanlardır; ayrıca adada edindiğimiz deneyimlere göre çok da zekidirler. Hem içgüdüleri, hem de öğrenme yetenekleri çok yüksektir.

Martılar hakkında pek çok şey bilsek de, onlara kimse yaklaşmazdı. Martılarla en yakın ilişkimiz, balığa çıktığımız zaman onlara verdiğimiz, deyim yerindeyse, "rüşvet"ti. Balıkla dolu olan teknelerimiz dönüş yolundayken çevremizi saran martılara bir iki istavrit ya da mercan atmayı alışkanlık haline getirmiştik. Onlar da bu işe o kadar alışmıştı ki balık atmadığımız zaman âdeta bize hatırlatmak istermiş gibi üzerimize pikeler yaparlardı. Bu durum, aramızda hem komik hem biraz tehlikeli bir oyuna dönüşmüştü.

Ağaçlar budandığında, onlar da herhalde meraktan olsa gerek, bizleri ürkütecek kadar keskin dalışlar yapıyordu.

Dediğim gibi biz bunlara alışık olduğumuz için fazla aldırmıyorduk, çünkü şimdiye kadar kimseye zarar verdikleri görülmemişti. Ama ağaçların kesilmesinden sonra kabak Başkan'ın torununun başına patladı.

Bakkaldan aldığı gofreti yiyerek eve dönerken

martılar kızın üstüne pike yapmışlar. O da birdenbire paniğe kapılmış, elleriyle başını korumaya çalışarak koşmaya başlamış.

Sonra o telaşla ayağı bir dala takılarak yere yuvarlanmış, sol kolunu incitmiş. Onu bulduklarında çığlık çığlığa bağırıyor, hâlâ martıların üstüne geldiğini sanıyormuş. Doktor amca kızın kolunu özenle sarıp boynuna assa da hemen iyileşmemiş.

Kıza gıcık olsam da bu olaya çok üzüldüm. Birkaç komşumuzla ada halkı adına, Başkan'a geçmiş olsun ziyaretine gitmeyi bile önerdim ama büyükler cesaret edemediler. Of bu büyükler de bazen çok korkak oluyorlar.

Bu yüzden, Başkan bizi toplayana kadar, torununun başına gelen şanssızlıktan dolayı geçmiş olsun dileklerimizi ona iletemedik.

Bakkalın, ada tarihinde ilk kez görülen bir uygulamayla, hepimizin evine tek tek dağıttığı duyurularda, ertesi gün akşamüstü 6'da çardak altında bulunmamız rica ediliyordu. Altında Başkan'ın imzası vardı.

Ertesi gün akşamüstü saat tam 6'da bütün adalılar –dayım da dâhil olmak üzere– çardak altında buluştuk. Başkan yine beyaz giysileri içinde karşımızdaydı işte. Masalar birleştirilmiş ve bir kare oluşturacak biçimde dizilmişti. Başkan bir kenarın tam ortasında oturuyordu.

Pantolon giyen kişilerin sayısında artış olduğu dikkatimi çekti. Birkaç komşumuz daha 1 Numara'ya katılmıştı. Değişim henüz sadece giysilerde kendini gösteriyordu.

Çardak altına geldiğimiz zaman, büyükler Başkan ve eşine geçmiş olsun dileklerini sundular, çok üzülmüşlerdi, adamıza gelir gelmez böyle bir şanssızlıkla karşılaştıkları için, hiç kimse suçlu olmasa bile özür dilemek istiyor, torunlarına acil şifalar diliyorlardı.

Ben de belki hoşuna gider de aramızdaki buzları eritiriz diye topladığım çicekleri tedirgince kıza uzattım. Başkan bu işten pek hoşlanmasa da kızın, adaya geldiğinden beri ilk defa utangaçça gülümsediğini görüp içten içe çok mutlu oldum.

"Çok geçmiş olsun, bu çiçekler Son Ada'nın çocuklarından."

"Çocuklar mı? Senden başka çocuk göremiyorum burada."

"Aa evet, adada benim dışımda bir de dilsiz arkadaşım var ama o çok çekingendir."

"Ayy çok üzüldüm, dilsiz ha!"

"Dilsizdir ama çok sıkı çocuktur. Neyse iyileşince

hep birlikte yüzmeye gideriz belki."

Kız hemen göz ucuyla, bizi çatık kaşlarla izleyen Başkan'a baktı, sonra "Teşekkürler, pek sanmıyorum gelebileceğimizi," diyerek yanımdan uzaklaştı.

Bir süre sonra hepimiz yerimizi alınca Başkan bize ciddi bir konuşma yaptı. Önce medeniyetin ne olduğu, insan topluluklarının nasıl yaşaması gerektiği gibi genel konulardaki düşüncelerini açıkladı, sonra, "Geçen gün ağaçların budanması konusunu görüşürken bazı arkadaşlarınız bu uygulamayı doğru bulmadıklarını belirttiler," dedi. Gözlerini hepimizin yüzünde gezdirerek sordu:

"Doğru mu?"

"Doğru!"

"Güzel," dedi. "Demek ki bu adada nasıl yaşanması, adanın nasıl idare edilmesi konusunda fikir ayrılıkları var. Doğru mu?"

Yine yüzümüze bakıyordu. Hep bir ağızdan "Doğru!" dedik.

"Her kafadan bir ses çıkar da değişik fikirler düzene sokulmazsa ne olur arkadaşlar?"

Herkes kendini sınav oluyormuş gibi hissediyor, ne cevap vereceğini bilemiyordu. Sanki yanlış bir cevap verilse suçlu durumuna düşülecekti. Büyüklerin bu halini görmek beni epey eğlendirmişti.

"Ben söyleyeyim komşularım," dedi Başkan. "Düzen olmazsa, kural olmazsa, karmaşa olur. Her kafadan bir ses çıkarsa kavga olur, dövüş olur."

Yine hep bir ağızdan, "Doğru!" diye bağırdık. Hep bir ağızdan dediysem sözün gelişi, yoksa masanın Başkan'a en uzak köşesinde oturan dayım sürekli olarak önüne bakıyordu.

"Bakın," dedi Başkan, "sözü fazla uzatmayalım. Hiçbir insan topluluğunun istemediği gibi bu ada sakinleri de karmaşa içinde yaşamak istemez, değil mi?"

"İstemez!"

"Güzel! Mademki adamızda temel konularda düşünce ayrılıkları var, o zaman bunları düzene koymanın yolu adayı bir yönetime kavuşturmaktır. Değerli komşumdan öğrendiğime göre –bu arada başıyla 1 Numara'yı işaret ediyordu– bu adada şimdiye kadar bir yönetim kurulu olmamış. Her şey başıboş bir biçimde sürüp gitmiş. Doğru mu?"

"Doğru!"

Bu "Doğru"lardan içime fenalık gelmişti. Başkan sanki aynı kelimeleri tekrar ettirerek, beynimizi uyuşturuyordu.

Başkan, "Bu adaya bir yönetim kurulu gerekli

arkadaşlar," diye devam etti. "Gerektiğinde adayla ilgili kararlar alacak, yaşamın daha huzurlu sürüp gitmesini sağlayacak, fikir ayrılıklarının önüne geçecek bir yönetim kurulu. Böyle bir kurulu oluşturmanın da yöntemleri var. Bu yöntem elbette demokratik olacak, demokrasi en yüce değerdir, öyle mi arkadaşlar?"

"Öyle!"

Bu arada gözüm dayımın oturduğu yere takıldı. Kimse fark etmeden usulca çekip gitmişti. Şaşırdım, Başkan'ın sözlerine karşı çıkacağı yerde çekip gitti diye biraz da kızdım.

"Bu topluluk genel kurul anlamına geliyor ve bence bu kurul beş kişiden oluşmalı."

"Oluşmalı."

"Bu iş için gönüllü arkadaşlar var mı aramızda? İsimlerini yazdırsınlar, biz de oylayalım."

1 Numara elini kaldırıp söz istedi.

"Bence bu kurulun başkanı siz olmalısınız."

Bir iki kişi alkışladı ama Başkan elini kaldırarak onları, "Durun!" diye susturdu. "Daha yönetim kurulu oluşmadı. Her şey usulüne uygun yapılmalı." Sonra kimseden ses çıkmadığını görünce, "Ama," dedi, "ben bunca senelik yöneticilik tecrübemi, adalı komşularımın hizmetine vermeye hazır olduğumu bildirmekten şeref duyarım. Her şey adamız için!"

Bu son sözleri o kadar yüksek sesle söyledi ki hepimiz alkışlamaya başladık. Başkan son bir kez, aramızda görev alacak gönüllüler olup olmadığını sordu. Hiç kimseden cevap çıkmadı çünkü bu ada yıllarca bir yönetici olmadan huzur içinde yaşayıp gitmişti.

Başkan, "Benim bir teklifim var," diye atıldı. "1 Numara arkadaşımızı, ada sahibi sıfatıyla kurula sürekli üye olarak öneriyorum."

Öneriyi alkışlarla kabul ettik.

Başkan 1 Numara'ya döndü ve "Tebrik ederim!" dedi. Sonra, "Nazik alkışlarınızdan anladığım kadarıyla şu anda beş kişilik kurulun iki üyesi belirlenmiş bulunuyor," diye ekledi. "Şimdi kalan üç kişiyi seçeceğiz ama ben demokratik ve modern bir toplumda kadınların da erkeklerin hemen yanı başında yer alması gerektiğini düşünen biriyim. Saygıdeğer kadınlarımız, analarımız, eşlerimiz, kız kardeşlerimiz toplum hayatına karışmalı, yüksek sorumluluklar üstlenmeli. Bu nedenle kurulumuza bir kadın üye seçmeyi öneriyorum."

1 Numara tekrar söz aldı ve "Sayın Başkanım," dedi, "Ben saygıdeğer eşinizi üçüncü üye olarak teklif ediyorum."

Alkışladık. Başkan'ın gözleri yarı kapalı gibi duran şişman hanımı sakin bir baş selamıyla teşekkür etti, konuşma yapmadı.

Başkan ona da, "Tebrik ederim hanımefendi!" dedi. Sonra ekledi: "Başka gönüllü çıkmadığına göre kalan iki kişiyi kurayla belirleyeceğiz."

Eliyle bir işaret yaptı ve adamlarından birisi elinde siyah bir torbayla koşup geldi.

Bu arada aklıma bir düşünce takıldı: Zaten beş kişilik kurulun üçü belirlenmişti. Çoğunluk onlara geçmişti. Bu işi 1 Numara'yla birlikte mi planlamışlardı acaba? Sanırım ben de dayım gibi kuşkucu biri olmaya başlamıştım.

Yine de büyükler bu işi eğlenceli bir tiyatro oyunu gibi izliyor, fazla ciddiye almıyorlardı. Bizimki gibi küçücük bir adanın yönetim kurulundan ne kötülük çıkabilirdi ki. Belki de Başkan, kaybettiği yöneticilik görevinin yerine, boş kalmamak için zararsız bir oyun uyduruyordu.

Başkan, "Bu torbanın içinde 1'den 40'a kadar bütün numaralar var!" dedi. "1 ve 24 hariç kim çıkarsa, o evden biri yönetim kurulunda yer alma görevini üstlenecek."

Sonra adam torbadan bir kâğıt çekip Başkan'a verdi, o da açtı ve okudu. "37 Numara!"

Alkışladık.

Sonra adam bir kâğıt daha verdi Başkan'a.

"7!"

Başkan çevresine bakındı ve 7 Numara'nın kim olduğunu anlamaya çalıştı. Ama kimseden ses çıkmıyor, herkes birbirine bakıyordu. Başımdan aşağı kaynar sular döküldü. Heyecandan sesim çıkmıyordu.

Başkan sinirli bir ses tonuyla, "Kimdir efendim?" dedi. "7 Numara lütfen ayağa kalksın."

Annemden de ses çıkmayınca, ben elimi kaldırdım. "Buyur genç adam!" dedi Başkan. Annem kolumdan çekiştirip beni oturtmaya çalışıyor, belli ki konuşmamı istemiyordu.

"Efendim," dedim, "7 numara benim dayım olur. Kendisi çok iyi bir yazardır, bazı çalışmaları olduğu için toplantıdan ayrılmak zorunda kaldı. Ben ona durumu iletirim."

Yine alkışladılar. Böylece benim sevgili yazar dayım, hiç istemediği halde Başkan'ın kuruluna girmiş oldu.

Canım çok sıkkındı. Toplantı bittikten sonra, denize batan güneşe gözlerimi dikip uzun bir süre düşündüm.

Dayımın gücü kurulu yenebilecek miydi?

ALTI

Başkan'ın hayatımızdaki varlığını her geçen gün daha fazla hissetmemize karşın, her zamanki saf tavrımızla gelişmeleri iyiye yormayı sürdürüyorduk. Belki de söyledikleri doğruydu, Son Ada'da kentlerden, uygarlıktan uzakta yaşayarak yabani insanlar haline gelmiştik.

Şimdi geriye doğru baktığım zaman, bu tavrımızın aşırı bir tembellikten, uyuşukluktan kaynaklandığını açıkça görebiliyorum. Hiçbir şeyi eleştirmiyor, sorular sormuyor, karşı çıkmıyorduk. "Bana dokunmayan yılan bin yıl yaşasın!" diyor ama yılanın bize de dokunacağını hesap edemiyorduk.

Bu umursamaz tavrımızı, bakkalın oğlu olan zavallı arkadaşımın başına gelenlerden sonra da sürdürdük. Oysa adada yaşayan herkes, okula hiç gitmemiş, durgun zekâlı, dilsiz, çalışmadığı zamanlarda hayallere dalıp giden arkadaşımı çok severdi. Hepimizin evinin bir parçası, oğlu, kardeşi gibiydi. Bakkalın vapurla getirtip, motorla kıyıya taşıdığı ve depoladığı süt, ekmek, peynir gibi gerekli malzemeleri evlere dağıtırdı. Sabahları uyandığımızda, bir gün önceden sipariş ettiğimiz her şeyi evimizin kapısında bulurduk.

Bu şaşmaz düzen ta ki, bir gün anayolda arkadaşımın ağlayarak ve eliyle gözünü tutarak yürüdüğünü görene kadar sürüp gitti. Gözü yumruk yemiş gibi kızarmıştı, ertesi gün de moraracak ve kapanacaktı. Konuşamadığı için ne olduğunu anlatmasına imkân yoktu.

Onu bu halde görünce çıldırdım. Sarılarak, "Bunu kim yaptı? Sana söz veriyorum, bunun hesabını soracağım ondan," dedim. Ama o her zaman yaptığı gibi bir köşeye çekilip yalnız kalmayı tercih etti.

Bu işin Başkan'la ya da adamlarıyla bir ilişkisi olduğunu sezebilecek kadar zekiydik ama kimimiz kondurmuyor, kimimiz de düşünmeye bile korkuyorduk.

Olay bir sonraki duyuruya kadar sır olarak kaldı. Evlerimize —hem de arkadaşımın babası olan bakkal tarafından– dağıtılan duyuru çok açıktı. Bakkalın oğlunun, güvenlik kurallarına uymayarak, geçen sabahın erken saatlerinde Başkan'ın terasına kadar girdiği ve bu nedenle cezalandırıldığı anlatılıyordu.

Bu sorunu gidermek için adanın genel kurulu tarafından yeni kurallar getirilmişti:

1. Evlere, önceden haber vermeden, güvenlik sınırı sayılan 6 metreden daha fazla yaklaşmak yasaktır.

2. Gerekli malzemeyi dağıtmakla görevli servis elemanları bu işi her sabah 9 ile 11 arasında ve belirtilen sınırı aşmamak koşuluyla yerine getireceklerdir.

3. Ada kurulu tarafından konulan bu kurallara uymayanlar, ev sahipleri tarafından ağır bir biçimde cezalandırılacaktır.

Daha sonra bakkal amca bize üzüntü içinde şunları anlattı: Dilsiz arkadaşım, o sabah Başkan'ın evine, bir gün önceden sipariş edilen süt ve gofretleri götürmüş. Dağıtıma ilk olarak Başkan'ın evinden başlamış. Erken bir saatte gitmiş oraya. Tam sütü teras kapısına bırakırken birdenbire bahçeden fırlayan bir kişi gözünün üstüne yumruğu patlatmış ve evdekileri uyandırmamaya çalışarak, öfkeli bir fısıltıyla kim olduğunu, orada ne aradığını sormuş. Sonra da serbest bırakmış.

Bütün bunlar, Başkan'ın büyük bir korku içinde yaşadığını, bizim gözlerden uzak huzurlu adamızda bile evinin bahçesinde nöbetçi bulundurduğunu gösteriyordu. Oysa bizler şimdiye kadar kapılarımızı kilitlemeyecek kadar güvende hissediyorduk kendimizi. Fakat bu olaydan sonra korku ilk defa yüreğimize düşüp hepimizde büyük bir tedirginliğe yol açtı.

Bir gece bu tedirginlik doruğa çıktı.

Silah sesleriyle uyanmış ve neye uğradığımızı şaşırarak evlerimizden fırlamıştık. Annem hemen eve dönmemi söylemişti. Ama ben yerimde duramıyor, ne olduğunu çok merak ediyordum. Tabii hemen peşinden gittim.

Ada tarihinde hiç rastlanmadık bir panik yaşıyorduk. Geceleri sakin olan martılar bile çığlık çığlığa uçuyordu.

Bazıları üç el silah sesinin Başkan'ın evinden geldiğini söylediği için merak ve endişe içinde o tarafa doğru koştuk.

Başkan'ın bahçesine ulaştığımızda, evleri daha

yakın olanların kadınlı erkekli bahçede toplanmış olduğunu gördük. Başkan, "Terasta bir düşman yürüyordu," diye açıkladı durumu.

Onu sağ salim görmek herkesi biraz ferahlattı ama kafalardaki soru işaretlerini gidermeye de yetmedi.

Başkan'ın adamları ellerinde –artık saklamaya gerek görmedikleri– silahlarıyla herkesi düşman gibi süzüyorlardı. Dayım bile gelmişti. Bizi görünce hemen gelip omzuma elini attı.

Başkan, söylediğine göre büyük tehlike atlatmıştı ama halkını sakinleştirmek isteyen bir kahraman edasıyla, "Üzülmeyin dostlarım," dedi. "Bu ciddi bir durum ama gördüğünüz gibi düşmanlar bize bir zarar veremedi. Daha önce birçok kez beni ortadan kaldırmayı denediler ama her seferinde başarısızlığa uğradılar. Ben artık bu duruma alıştım ama ailem ve özellikle de sevgili torunlarım üzerinde çok kötü etkiler bırakıyor bu olaylar.

Şimdi üzülerek de olsa bildirmek zorundayım ki adadaki her yer, –maalesef– her ev tek tek aranacak. Güvenlik elemanlarımız bu hainleri saklandıkları yerden bulup çıkarmak ve sorgulamakla görevlendirildi. Masum komşularıma vereceğimiz rahatsızlıktan dolayı özür dilerim ama eğer içlerinde bu olaylara karışmış olanlar varsa bunun bedelini en ağır biçimde ödeyeceklerdir."

Şaşırmış ve paniğe kapılmış durumda söylenenleri dinliyor, olup bitene hâlâ inanamıyorduk. Başkan'ın torunları anneannelerine sarılmış, herkese kuşkuyla bakıyorlardı, sadece benimle göz göze geldiklerinde belli belirsiz gülümsediklerini fark ettim.

Bu sırada bir ses duyuldu: "Bu olayın nasıl olduğunu biraz anlatabilir misiniz efendim? Size ateş mi edildi? Birini ya da birilerini mi gördünüz?"

Bu soruları soran dayımdı.

"Anlatayım!" dedi Başkan.

"Vakit gece yarısını biraz geçiyordu! Yeni yatmıştım. Tam uykuya dalmak üzereydim ki terasta epey iriyarı olduğunu tahmin ettiğim birinin yürüdüğünü duydum. Bu saatte terasıma gelen kişinin iyi niyetli olmadığı belliydi. Demek nöbetçiyi de atlattılar diye düşündüm ve silahımı alarak terasa doğru seslendim, kim olduğunu sordum. Ama adam bana hiç cevap vermeden terasta dolaşmayı sürdürdü. 'Son kez soruyorum, sonra ateş edeceğim' diye uyarmama rağmen sözlerime hiç aldırış etmeden, pat pat gürültü çıkararak yürümeyi sürdürdü. Sütunun arkasına gizlenerek sadece kolumu dışarı çıkardım ve rasgele üç el ateş ettim. Bunun üzerine ses kesildi. Tahmin ediyorum ki o sırada kaçıp gitti. Zaten terası araştıran güvenlik görevlimiz de orada hiç kimseyi bulamadı. Bu yüzden adayı araştırıp bu saldırganı bulmamız gerekiyor."

Dayım, "Efendim," dedi, "size geçmiş olsun ama durumu anlayabilmemiz için bir iki soru daha sormama izin verir misiniz?"

Başkan, kendi sağlığıyla bu kadar ilgilenen birinin bulunmasından hoşnut kalmış olmalı ki, "Sizi galiba daha önce görmedim beyefendi!" dedi.

"Evet efendim," dedi dayım. "Çardak altındaki toplantının ilk bölümünde vardım ama bazı çalışmalarım dolayısıyla toplantıdan ayrıldığım sırada da genel kurula seçildiğimi öğrendim."

"Haaa," dedi Başkan, "şimdi oldu. Demek ki sizinle bundan sonra sık sık görüşeceğiz."

Dayım, "Efendim," diye devam etti, "denizi aşıp da bu adaya bir motor yaklaşacak olsa hemen görülür, ayrıca sesi de duyulur. Adaya gizlice girmek olanaksızdır. Bu yüzden başka olasılıklar üzerinde de durulmalı diyorum ben."

"Ne gibi olasılıklar?"

"Mesela terasta yürüyen, bir saldırgan olmayabilir."

"Kötü niyet taşımayan kim o saatte evin terasında yürür sizce?"

"Bilemiyorum ama anlattıklarınıza göre bu kişi epey gürültü meraklısı. Sizi uyandıracak kadar gürültülü bir biçimde yürüyor ve uyarılarınıza rağmen de bu tavrını sürdürüyor. Bir köşeye saklanmıyor, ateş edeceğinizi söylüyorsunuz, o yine pat pat yürüyor. Bu sizce normal mi?"

Başkan'ın, önce dost sandığı bu zeki adamın soruları karşısında hafifçe sinirlenmeye başladığı seziyordum. "Peki bay dedektif," dedi, "bu teorileriniz güzel ama durumu değiştirmiyor. Sorumu tekrarlıyorum: Hangi insan kötü niyet taşımadan terasımda gece yarısı yürür ve sorularıma cevap vermez?"

"Sayın Başkan, belki de konuşmayı bilmiyordu."

Önce afallayan Başkan sonra, "Şimdi saçma sapan sorularla daha fazla uğraşmayı bırakalım da güvenlik görevlileri gerekli incelemelere başlasınlar," dedi.

Daha önce defalarca terasında martı dolaşmış olan adalılar, konuşmanın nereye gittiğini yavaş yavaş anlamaya başladılar. Dayımın sesi tekrar duyuldu:

"Çok özür dilerim efendim, belki terasınızdaki sesler hiç de tehdit anlamı taşımıyordu."

Başkan iyice sinirlenip şöyle karşılık verdi:

"Sizin amacınız ne? Böyle bir ciddi güvenlik soruşturmasını hangi çıkmaz sokağa saptırmak niyetindesiniz? Hangi insan, 'ateş edeceğim' uyarısına cevap vermez?"

"Terasınızda dolaşan belki de bir insan değildi!" dedi dayım. "Bu yüzden sorularınıza cevap veremiyordu."

Gecenin karanlığında bile herkesin yüzüne bir gülümseme yayıldığını görebiliyorduk.

Başkan, "Sen ne diyorsun be adam!" diye kükredi. "İnsan değilse neydi o zaman, adanızda büyük ayılar yaşıyor da ben mi bilmiyorum yoksa? Belki de dinozordur ha?"

"Hayır efendim," dedi dayım sakin bir sesle, "bir martıdır!"

"Ne martısı?"

"Bildiğiniz martı efendim. Bu adada yaşayan herkes martıların geceleri teraslarda gezindiğini ve çıkardığı seslerin iriyarı bir adamın yürüyüşünü andırdığını çok iyi bilir. İlk başta bilmeyenler için çok şaşırtıcıdır. İnsan o sesin bu küçük yaratıktan nasıl çıktığını anlayamaz ama belki de ayak yapıları gereği, gecenin sessizliğinde böyle bir ses çıkarırlar. Değil mi arkadaşlar?"

Adalılar hemen onayladı. "Evet! Gerçekten öyledir."

Dayım, "İzin verirseniz terasta bir deneme yapalım sayın Başkan," dedi. "Şu anda üstünde durduğunuz girişte de olabilir."

Sonra Başkan'ın şaşkın bakışları arasında terasta pat pat diye sesler çıkararak yürümeye başladı.

"Sesler buna benziyor muydu sayın Başkan?"

Başkan, adalıların gözünde martıdan korkan biri durumuna düşmemek için son bir gayretle, "Çok saçma!" diye söylendi. "Martı ile insanı birbirinden ayıramayacak mıyım ben?"

Ama artık sesi çok zayıf çıkıyordu, kendisine duyduğu güven sarsılmıştı.

Herkesin dayıma hak verdiği ve başlarını sallayarak onu onayladıkları görülüyordu. Adada en güvendiği kişi olan 1 Numara bile, "Evet efendim. Martılar aynen böyle ses çıkarır!" deyince pes etme noktasına hızla yaklaştı ama dayım daha son sözünü söylememişti.

Başkan'ın şahin bakışlı güvenlik görevlisine dönüp, "Sayın Başkan ateş ettikten sonra havalanan bir martı gördünüz mü?" diye sorması ve şaşıran adamın, "Evet!" cevabını vermesiyle, hepimiz düşman tehdidinden kurtulmanın rahatlığıyla bir kahkaha patlattık.

Bu durumda Başkan'ın yapacağı hiçbir şey kalmadı, ister istemez durumu kabullendi ve yüzünde zoraki bir gülümseme belirdi. Biraz önce, ülkesine yaptığı hizmetlerden dolayı düşmanların saldırısına uğrayan bir kahraman rolüne bürünen güçlü Başkan, şimdi martıdan korkan bir adam durumuna düşmüştü.

O geceden itibaren, Başkan'ın adada iki büyük düşmanı olmuştu: Daha önce torununu korkutup kolunu incitmesine yol açtıkları yetmiyormuş gibi şimdi de onu gülünç duruma düşürüp komşularının önünde rezil eden martılar ve sorularıyla durumu çözen o zeki adam, yani benim yazar dayım!

Ne yazık ki savaşın başlamasına çok az kalmıştı.

YEDİ

O gece adada kimsenin uyuyabildiğini sanmıyorum. Biz de annemle eve geldikten sonra uyuyamadık ve manolya ağacının altındaki büyük salıncağımıza oturup birbirimize sarıldık, uzun bir süre öyle, kıpırdamadan durduk. Gelecekte kötü şeyler olacağını hissediyor, nefes almaya bile korkuyorduk. Annem bütün bu olayların bir kâbus gibi geçip gideceğini söylüyor, beni sakinleştirmeye çalışıyordu ama başıklarından kendinin bile buna inanmadığı anlaşılıyordu. Gece rüzgârının havalandırdığı ince kumral saçlarından her zaman olduğu gibi mis gibi sabun kokusu geliyor, beni rahatlatıyordu.

Annemle babam aklıma geldi o an: Bu salıncakta hep el ele oturur ve birbirlerine güzel sözler fısıldayarak konuşurlardı. Hiç kavga ettiklerini hatırlamam. Annem babamın yanında asla üzgün ya da tedirgin olmazdı. Ama o gece ilk kez onun bu kadar korktuğunu görmüştüm. Çünkü babamın ölümünün acısını bile hafifleten bu ada, şimdi büyük bir tehlike altındaydı.

Annem, "Demek ki ülkedeki kötülükleri arkamızda bırakamamışız!" diye fısıldadı. Benim için, ada için ve hatta dayım için kaygılanıyordu. Birden yüzündeki tedirginlik yok olup yerini gülümseyen kararlı bir çehreye bıraktı.

"Baban burada olsaydı hiç ümitsizliğe kapılmazdı, onun anısı bize güç verecek, yılmayacağız ve adamızı o adama bırakmayacağız canım. Göreceksin eski huzurlu yaşantımıza geri döneceğiz."

Ertesi sabah aradığımızda dayımı bulamadık. Başkan'ın sabah erkenden ada kurulunu acil olarak toplantıya çağırdığı söyleniyordu. Ada halkı huzursuz bir biçimde bekliyor, arada bir toplantının yapıldığı Başkan'ın evine doğru tedirgin bakışlar fırlatıyordu. Artık kimsenin içi eskisi gibi rahat değildi.

Kıyılarda, bahçelerde, yollarda fısır fısır bu konular tartışılıyordu.

Yemyeşil ağaçları ve gölgeli yolları ellerinden alınan, yakıcı güneşin altında terleyerek yürümek zorunda bırakılan adalıların büyük bölümü,

Başkan'a doğrudan doğruya karşı çıkamasa bile gelişmelerden rahatsızlık duyduğunu saklamıyordu. Artık iyiden iyiye Başkan'ın adamı olan 1 Numara'nın bazı arkadaşları ise adamıza düzen ve disiplin gelmesinin iyi olacağını savunuyorlardı. Bu iki kesimin dışında kalan bir iki kişi de adaya biraz heyecan gelmiş olmasından mutlu olduklarını saklamıyordu. Ne de olsa herkese eğlence çıkmıştı.

Ben o gün adanın martıları kadar tedirgindim. Çünkü onlar da kendilerine ayrılan kıyılarında, kayalıklarda gergin bir bekleyiş içindeydiler. Her yumurtanın başında ana baba bekliyor ve dikkatli gözlerini ufuktan bir saniye bile ayırmadan kale nöbetçilerine benzer bir görünüm oluşturuyorlardı. Bizden hiçbir dostluk ve yakınlık talepleri olmadığı için onları kendi dünyalarında rahat bırakmaktan başka yapabileceğimiz bir şey yoktu.

Öğleden sonra toplantı sona erdi ve hepimiz, akşamüstü çardak altında yapılacak genel kurul toplantısına çağrıldık. Ben hemen dayıma koştum. Çok öfkeliydi:

"Kesinlikle kafayı yemiş bu adam. Çatlağın teki! Eğer herkes bu adama uyarsa sonumuz geldi demektir. O geldiğinden beri yaşam alanımız gittikçe daralıyor. Göreceksin, sonunda bu adadan çekip gitmek zorunda kalacağız."

Bir süre sonra sakinleşip her şeyi anlattı. Söylediğine göre Başkan toplantı açılır açılmaz hemen konuya girmiş, bu adadaki en büyük tehdidin martılar olduğunu söylemiş. Adanın en güzel kıyılarını kaplıyor, buralarda insanların denize girmesini engelliyorlarmış. Bununla da yetinmeyip insanlara saldırıyor, adayı yaşanmaz bir cehenneme çeviriyorlarmış. Bu yüzden Başkan kurula, bu vahşi kuşların yok edilmesini önermiş. Uzun uzun kuşların zararlarını sayıp dökmüş.

Zaten kurulun çoğunluğu Başkan'a yakın olduğu için martıları yok etme kararı almak üzereymiş ki dayım dayanamayıp bu önemli konunun kurulda karara bağlanamayacağını, alınacak kararın bütün adalıları ilgilendirdiğini, bu yüzden genel kurulda tartışılması gerektiğini söylemiş.

Sonunda kurulu bu işe razı edebilmiş. Çünkü Başkan, eğer herkesin katılımı sağlanırsa, martılara karşı mücadelenin daha etkili yürütülebileceği kararına varmış.

"Bu zırdelinin martılara savaş açması gibi bir çılgınlık herhalde kabul edilmez!" diyordu.

"Toplantıda sen de kalkıp bir şeyler söylemelisin!" dedi dayım. "Bu adamın adalıları kandırmasına engel olmaya çalış. Hatta şimdiden insanlarla tek tek konuşup bu deliliği önlemeye gayret et. Artık büyüdün, adadaki herkes seni doğduğundan beri çok sever, sana inanırlar."

Zayıf bir sesle, "Olur!" dedim. Adalılara bir şeyler söyleyebilirdim ama toplantıda kalkıp konuşmaya çekiniyordum.

Yani bu büyüklerin de kafası fena karışık; bazen "Daha çocuksun anlamazsın," diye engellerler, bazen de "Artık büyüdün sen yaparsın," diye yüreklendirirler.

Dayımdan ayrıldıktan sonra benim de kafam karışmış bir şekilde biraz yürüdüm. Ardından ıssız bir kayanın üzerine oturup martıları seyrettim. Yumurtalarının başında bekleyen martılara baktım. Sivri bir kayanın tepesinde durmayı alışkanlık haline getirmiş ve avlanma dışında o yüksek noktayı hiç terk etmeyen inatçı martıyı yine aynı yerde gördüm.

Şu anda kendileri hakkında yapılan tartışmalardan hiçbir haberi olmayan bu yaratıklar gözüme insanlardan daha masum göründü.

Kanatlarını kapadıkları zaman daha griydiler, çünkü sırtları bu renkti. Ama havada süzülürken gövdelerinin iç kısmı göründüğü için bembeyazdılar.

Başkan nasıl bir mücadele planlıyordu acaba martılara karşı?

Orada bir saate yakın oturmuşum. Sonra kalkıp adalı komşularımızı dolaşmaya başladım. Kimi bahçeyle uğraşıyor, kimi hamakta kestiriyor, kimi bakkaldan dönüyordu. Onlara Başkan'ın korkunç bir işe kalkışmak üzere olduğunu, martıları yok etmeye çalışacağını anlattım. Bu işe engel olmamız gerektiğini söyledim.

Hepsi zaten benim gibi düşünüyordu. "Olur mu böyle delice şey!" dediler. "Ne zararı varmış martıların? Kendisi korktuysa, bunda martının ne suçu var?"

Bu konuşmalardan sonra içim biraz rahatlamış olarak eve döndüm, anneme olup bitenleri anlattım. "Adalılar bu işe izin vermeyecekler!" dedim.

Yüzüme endişeyle baktı. "Umarım öyle olur!" dedi, kuşkulu bir sesle. Sonra devam etti:

"Hayattan öğrendiğim bir şey var oğlum. Kötülük her yerde çok kuvvetli ve zor yeniliyor. İyilik daha zayıf kalıyor."

"Of sen de mi anne! Aynı dayım gibi konuştun şimdi," dedim hüsranla. "Hani mücadele edecektik. Sen dememiş miydin, baban da olsa aynısını yapıp mücadele ederdi kötülüklerle diye."

Bana bakan ela gözlerinde, dediklerime inandığına dair bir işaret göremedim.

"Haklısın oğlum ama dünyada kötülük daha planlı. İyiliğin içindeki saflık, planlı olmamasına neden oluyor, onu güçsüz yapıyor. Bu yüzden dünyanın her yerinde kötülük saflığı yeniyor."

"Ama bu adada durumu tersine çevirmediniz mi anne? Hep anlatırsınız, bunca yıldır komşularımız arasında ne rekabet var, ne kavga diye."

"Evet, burası huzuru seçen iyi insanların ülkesiydi."

"Tamam işte, göreceksin, komşularımız bu vahşete katılmayacak. Başkan da adada sıkılacak, istenmediğini fark edecek, sonra da çekip gidecek buralardan."

"Ya bizi gitmek zorunda bırakırsa?"

"Böyle bir şey olmayacak! Sonsuza kadar bu ada, iyi kalpli insanlarıyla birlikte var olacak."

Annemi sonunda gülümsetmeyi başarmıştım:

"Baban yaşasaydı, seninle gurur duyardı."

SEKİZ

Akşamüstü, çardak altındaki birleştirilmiş masaların çevresine dizildik. Başkan'ın sağında 1 Numara, solunda eşi oturuyordu. Diğer kurul üyeleri –bu arada suratı iyice asılmış olan dayım da– masanın başında yerlerini almışlardı.

Toplantıyı Başkan'ın açacağını sanıyordum ama önce 1 Numara kalktı ayağa.

"Sevgili arkadaşlar," dedi, "bildiğiniz gibi bugün burada, güzel adamızın geleceğini ilgilendiren çok önemli bir konuyu tartışmak için toplandık. Saygıdeğer Başkanımız bugüne kadar hiçbirimizin fark etmediği bazı aksaklıkları ve bunlardan çıkış yollarını gösterdi. Bu yüzden ben şahsen Başkanımızı alkışlıyorum."

1 Numara ayakta Başkan'ı alkışlamaya başla-

yınca, diğer komşular da ayağa kalktı ve alkışa katıldı. Ben de ortama uyum göstermek için kalktım. Yalnız iki kişi kalmıştı oturan: biri canım dayım, öteki de biricik annem.

1 Numara, alkışlardan sonra gülümseyerek Başkan'a çevirmiş olduğu yüzünü tekrar bize doğru döndürdü:

"Bu nazik alkışlarınızla sizin de Başkanımıza derin minnettarlığınızı sunduğunuzu anlıyor ve toplantıyı açıyorum. Bugün hepinize bildirilmiş olduğu gibi adamızdaki plajlar konusunu görüşeceğiz."

Bu sözler üzerine herkes şaşırdı. Martılardan söz etmek yerine kıyıları konuşmak nasıl bir oyundu, neler çeviriyorlardı böyle?

1 Numara, "Yalnız," dedi, "toplantıyı kurallarına göre yönetmek için karşıt görüşleri savunan ikişer kişiye söz vereceğim!"

Sabah konuştuğum 32 Numara ayağa kalktı ve "İyi ama," dedi, "daha konuyu bilmeden hangi görüşü savunmak istediğimizi nasıl bilebiliriz ki!"

Bu söz üzerine, 1 Numara gülümsedi ve "Kural böyle arkadaşlar," dedi. "Herkes konuşmak zorunda değil!"

Bunun üzerine dayım elini kaldırdı: "Ben konuşmacı olmak istiyorum," dedi. Başkan ve kurul üyeleri onu küçümseyen bakışlarla süzdüler. 32 Numara da konuşmacı oldu. Karşıt görüşte konuşacaklar ise kurulun iki üyesiydi.

Sonunda söz Başkan'a geldi. Başkan ayağa kalktı, hepimizi süzdü ve "Medeniyet!.." dedi, sonra susarak yüzümüze bakmayı sürdürdü. Ağır bir sessizlik kaplamıştı ortalığı.

"Bu kelimenin anlamını biliyor musunuz arkadaşlar?"

Öyle yetenekli bir konuşmacıydı ki büyükleri yine hemen etkisi altına aldı. Kendilerini sert bir öğretmenin önünde sözlüye kalkan öğrenciler gibi hissetmelerini sağlıyordu. Bunu dışardan görebiliyordum. Herkes dimdik duruyor, hiç hareket etmiyordu.

Kimse ses çıkarmadı ama herkes başıyla onayladı.

"İyi düşünün... medeniyet diyorum. İnsanlığın medeniyeti, insanı hayvandan ayıran ve onu şerefli kılan düşünceler, yönetim biçimleri, kurallar."

Herkes yine başıyla onayladı. Ve o anda Başkan, biraz önceki düşünceli ve sakin ses tonuna hiç benzemeyen ani bir yükselişle, "O zaman, niçin bu adada medeniyetin dışına düşmüş vahşiler gibi yaşamayı tercih ediyorsunuz arkadaşlar?" diye sordu. Bu nasıl bir soruydu böyle? Yine kimseden ses çıkmadı. Büyüklerin kafası yine karışmıştı. Başkan, bir anda uzun söylevine başladı: "Bakın, sevgili komşularım," dedi. "İnsanlık, bugün geldiği medeniyet seviyesine ulaşmak için çok çabalar harcadı. Bu uğurda büyük savaşlar verildi, bu yüzden bugün hiç kimse medeniyete sırtını dönerek, insanlığı geri götürecek hareketler yapamaz. Bu güzel adaya geldiğim günden beri bazı olumsuzluklara ve düzeltilmesi gereken yanlışlara rastlıyorum. Siz alıştığınız için belki görmüyorsunuz ama bu aksaklıkları elbirliğiyle düzelttiğimiz zaman, adamızda yaşayan herkesin huzuru ve serveti artacak. Burada ortak çıkarlarımız söz konusu. Hiçbirimiz rakip değiliz."

Söylediklerinin martılarla ne ilgisi olduğunu hâlâ kavrayamamıştım. Neden servetten yani paradan bahsediyordu ki?

"Bakın, 1 Numara arkadaşımızın saygıdeğer babası, sizlere büyük bir iyilik yaparak, hiçbir ücret almadan gelip adasını kullanmanıza, kendinize ev yapmanıza izin vermiş. Ben hayatımda bundan büyük bir yardım duymadım. Bu dünyada her şey karşılıklıdır. Zaten 'vermek' kelimesi insanın yapısına uygun değildir. Hiç kimse kimseye bir şey vermemeli. Herkes kazanmalı. Değil mi arkadaşlar?"

İşte yeni bir soru gelmişti ve herkes susuyordu. Konuşmanın başka yönlere kaydığını gören dayım, "Şu martı olayına gelseniz!" dedi ve bu Başkan için bir fırsat oldu. Başladı içi yana yana konuşmaya. Uzun uzun martıların adaya ne kadar zarar verdiğinden, insanları korkuttuğundan, zavallı torununu neredeyse sakat bırakacak martı hücumundan söz etti.

Adanın en güzel plajları bu vahşi yaratıklara teslim edilemezdi. Martılar adadaki herkesin düşmanıydı. Bu yüzden martılara karşı bir savaş başlatılmalı ve bu yaratıklar adadan sonsuza dek kovulmalıydı. Medeniyet, insanın doğayı istediği gibi denetim altına alması demekti.

Konuştukça coşuyor, içindeki martı nefretini saklamaya gerek görmüyordu.

Dayım araya girip söz aldı. Yorgun bir sesle, "Biz," dedi, "kurul toplantısı yapıyorduk. Bu beyler adadaki martıları yok etmemiz gerektiğini söylediler, ben karşı çıktım. Şimdi karşınızdayız; bu hanım ve beyler adamızdaki martıları öldürmeyi, yumurtalarını kırmayı, adayı martılardan temizlemeyi planlıyorlar. Bunun nasıl bir çılgınlık olduğunu söylemeye bile gerek yok sanırım. Martılar, bizler buraya gelmeden binlerce yıl önce de bu adanın sahipleriydi. Kaç kuşaktır yumurtalarını buraya koyup yavrularını bu kıyılarda yetiştirdiler, onlara uçmayı ve avlanmayı öğrettiler. Bize de hiçbir zararları yok. Martılara karşı duyulan bu büyük öfkeyi ve yok etme amacını anlamıyorum ama biliyorum ki adadaki doğal uyumu bozmak istemeyen sizler, kurulun 'martı savaşı' diye adlandırdığı bu uygulamaya zaten izin vermeyeceksiniz. Bu yüzden endişem yok."

Dayımın sözleri büyük alkışlarla karşılandı. Komşularımız "Bravo!" diye bağırıyorlardı. Başkan ve arkadaşları bu işi kaybetmiş gibi görünüyorlardı.

Tam gitmeye hazırlanıyorduk ki Başkan'ın karısı ayağa kalktı. Bir el hareketiyle hepimizi yerimize oturttu. Sonra, "Bir şeyi unutuyorsunuz sevgili komşularım," dedi. "Bu ada sahipsiz değildir. Adanın sahibi yanımızda oturan arkadaşımızdır. Hepiniz buraya onun cömertliği sayesinde gelmiş durumdasınız. Evlerin sahibi sizsiniz ama yasal olarak hâlâ arazinin sahibi 1 Numara. Yani eviniz var, araziniz yok. 1 Numara çok iyi kalpli bir adam, böyle bir şey yapmaz ama her an sizden evinizi kaldırıp başka yere götürmenizi isteyebilir. Bu yüzden önce, adanın sahibi olarak 1 Numara'yı dinlememizi öneriyorum."

Adalıların birbirlerini kaygıyla süzdüklerini gördüm. Kibarca söylense bile herkese, bu arazinin kendilerine ait olmadığı ve her an kanun zoruyla evlerinden atılabilecekleri belirtilmiş oluyordu.

1 Numara bütün bunları utanarak dinliyordu. Şaşkınlık içinde söylenenleri reddetmediğini hatta başıyla hafifçe onayladığını gördüm. Sonra ayağa kalktı: "Dostlarım," dedi, "beni yıllardır tanıyorsunuz. Sizi evlerinizden çıkarmayı falan düşünmüyorum ama kabul etmelisiniz ki sevgili Başkanımızın asıl amacı bu adada yaşayan herkesin daha zengin, daha güçlü olması..

Bana geçen gün bir hayalinden söz edene kadar ben de adanın gizli kalmış büyük gücünü düşünmeden yaşayıp gidiyordum ama Başkanımız ileri görüşlülüğüyle her şeyi daha iyi görmemizi sağladı. Şimdi Başkanımızın, bu düşünü bütün komşularımızla paylaşmasını rica ediyorum."

Başkan yine ayağa kalktı, "Sevgili komşularım," dedi, "dünya turizmin altın çağını yaşıyor. Her yıl yüz milyonlarca turist, sıcak denizlere, mavi koylara sahip güzelim adalara akıyor. Bizim adamız, dolayısıyla da siz, niye bu büyük endüstriden payınızı almıyorsunuz? Bunu yapmanıza hiçbir engel yok. Hemen yarın ülkemizin ve dünyanın en büyük şirketleri gelip bu cennet koylara beş yıldızlı oteller, diskolar, eğlence merkezleri yapmaya başlayabilir.

Bu milyarlarca paradan hepiniz hakkınızı alabilirsiniz. Ama siz bu güzelim koyları martılara terk etmişsiniz. Kafanıza doldurulmuş saçma sapan çevreci fikirlerle cennet gibi adayı bir çöplüğe çevirmişsiniz. Topladığınız çam fıstıklarının geliriyle de geçinmeye çalışıyorsunuz.

Başta söylediğim medeniyet kelimesini hatırlıyor musunuz arkadaşlar? Hiçbir medeni insan böyle davranmaz, kendi çıkarını bu kadar göz ardı etmez. Haydi şimdi bir karar alalım ve adamızı şu gereksiz martı ayrıntısından kurtaralım."

Çevreme baktım ve masalarda oturan adalıların çoğunun bu sözler karşısında sarsıldığını gördüm. Önce "martı savaşını" saçma bulmuşlar, sonra evlerinden atılma tehdidiyle korkutulmuşlar, arkasından da büyük bir zenginlik hayaliyle umutlandırılmışlardı. Artık neye inanacaklarını bilemiyor, hatta doğru dürüst düşünemiyorlardı. Uyuşmuş gibiydiler. Bu durumda yapılacak bir oylama mutlaka

Başkan'ın istediği gibi sonuçlanacaktı.

Herkes konuşmuştu. Grup oylamaya geçmeye hazırdı ve sonuç şimdiden belliydi.

Tam bu sırada yanı başımdan yumuşak bir ses yükseldi.

Annem olanca kibarlığıyla söz hakkı istiyordu. "Sayın Başkan," dedi, "bir hanımın da konuşmasına izin vermelisiniz. Uygarlık diyorsunuz, uygarlık bunu gerektirir."

Genel kurul, kararı geciktirecek olan bu son engele biraz sinirlendi ama sonra birbirlerine bakıp kabul ettiler.

Annem, "Bugün bütün komşularımız buraya sizin önerinizi reddetmeye geldi," dedi, "ama şimdi fikir değiştirmeye başladıklarını görüyorum. Çünkü onları evlerinden atmakla tehdit ettiniz, sonra da zenginlik sözü vererek yüreklerine umut tohumları serptiniz. Bu başarıdan dolayı sizi kutluyorum ama adada oturan bir kişi olarak sormak istiyorum. Martıları hangi yöntemle kaçıracaksınız?"

Başkan alaycı bir edayla, "Kaçırmaktan söz eden kim?" dedi. "Yok edeceğiz."

"Nasıl!"

"Hepsini avlayacağız, yumurtaları da kıracağız. Anlayacağınız bir çeşit av şöleni."

"Peki mademki kararlısınız, bu barbarlığa hiç gerek kalmadan kuşları ikiz adalara yönlendirmeyi deneyemez miyiz?"

Başkan, barbarlık sözüne kızdı.

"Peki, hanımefendi," dedi, "martıları diğer adalara nasıl yollayacağımızı söyleyin de öğrenelim bari. Onlara duyuru mu dağıtacağız, 'Bundan sonra eviniz karşı adalardır, güle güle!' mi diyeceğiz?"

Bu espriye gülenlerin çokluğu, Başkan'ın oylamayı kazandığının habercisiydi.

Annem son bir gayretle, "Karşı adalara bol bol balık bırakırız, yumurtalarını saklayacak barınaklar yaparız, zamanla alışırlar," dedi.

Ama kalabalık artık bu "saçmalıklar"ı dinlemek istemiyordu. "Oylayalım, oylayalım," sözleri yükseldi ve yapılan oylama sonucunda, o gün oraya öneriyi reddetmek için gelmiş olan komşularımızın çoğu "Evet," diyerek, öneriyi onayladılar.

Büyüklerin, inandıkları bir fikirden bu kadar kolay vazgeçmelerini anlayamıyordum.

Artık yok etme planının uygulanmasından başka yapacak bir şey kalmıyordu. Martılar ise bu konuşmalardan habersiz, binlerce yıldır yaptıkları gibi adanın üstünde çığlık çığlığa uçmayı sürdürüyordu.

O geceyi anlatmak için tek bir sözcük seçmem gerekse, bu herhalde "utanç" olurdu. Adada ilk kez insanlar birbirlerinden utanıyor ve yolda karşılaştıkları zaman bile gözlerini kaçırıyorlardı. Toplantı dağılırken de hiçbir komşuluk ya da dostluk havası kalmamış, herkes bir an önce evine kaçıp saklanmak isteyen suçlular gibi dağılıvermişti; ne bir gülücük, ne bir baş selamı. Donuk bakışlar, asık suratlar...

Biz de evimize kapanmıştık.

Adadaki değişimin ilk büyük göstergesi, o toplantıdan sonra dağılan ve bir daha hiçbir zaman yerine konulamayacak olan dostluk, kardeşlik havasının yitip gitmesiydi.

Oysa eskiden adanın en güzel tarafı, insanların bir aile gibi günün büyük kısmını birlikte geçirmeleriydi.

Birbirimizi her gün görmemize rağmen, yolda ya da kıyıda karşılaştığımızda neşeyle sohbete dalardık. Bütün adalılar yaşım küçük olmasına rağmen benimle de bir yetişkin gibi konuşurlardı.

O akşam anneme, "Neden söz aldın ki? Nasılsa kötülük kazanacak sana göre, boşuna çabalamıyor musun?" diye çıkıştım.

"Hayır canım," dedi her zamanki sakinliğiyle, "oradaki insanlara nasıl bir vahşetin içine sürüklendiklerini bir kez daha hatırlatmak istedim. Hiçbiri şiddet yanlısı değil. Baban, dayın ve ben onları yıllardır tanıyoruz. Aslında hepsi de sevecen, uysal, barışsever dostlar."

"Yani sen de umutlusun aslında, haydi itiraf et."

"Evet, bir tanem. Sana baktıkça babanı hatırlıyorum ve umut doluyorum. Başkan ve koyduğu kurallar komşularımızı değiştirse de onlar birer vahşiye dönüşmeyecek. Yarın manzarayı görünce pişman olacak ve kararlarından geri dönecekler."

Gecenin karanlığına gömülmüş olan adadaki hiçbir evden çıt çıkmıyor, bir süre öncesine kadar bahçelerden yükselen müzik ve kahkaha sesleri şimdi duyulmuyordu. Herkes belli ki hayallere dalmıştı.

Ben bile kendimi, turistik bir adanın nasıl olacağını düşünürken yakaladım.

Beş yıldızlı oteller, denize inip kalkan uçaklar, lüks yatlar, plaj voleybolu oynayan gençler, sörf yapanlar, çeşit çeşit lokantalar, herkese iş imkânı, zenginlik... Bunlar, adalıların aklını nasıl çelmezdi ki...

Bu hayal en çok genç çocukları olan aileleri etkilerdi. Çünkü hiçbir genç bu sıkıcı adada yaşamak istemiyordu. Turistik bir patlama gençlerin hepsini adaya getirebilir, onları ailelerine kavuşturabilirdi.

Oysa ben bu adada türlü türlü eğlenceler buluyor, bazı günler eve yorgunluktan bitmiş bir halde geliyordum: Yüzüyor, sahilde kitap okuyor, ormanda dolaşıyor, hatta saatlerce çeşit çeşit kuşları böcekleri inceliyordum. Kimi zaman komşuların evine misafir oluyor, onlarla akla hayale gelmeyecek maceralar yaşıyordum. Dayımla yaptığımız uzun konuşmalarla da tüm dünyayı keşfe çıkıyordum âdeta.

DOKUZ

Belki milyonlarca kuş vardı havada. Kanat çır-
pıyor, birbirlerine karışıyor, sonra tekrar açı-
lıyor, V şeklinde uçuyor, aniden geri dönüyor ve
düzensiz sürüler oluşturuyorlardı. Uzak diyarlara
göç eden; denizler, ülkeler aşan kuşlardı bunlar.

Okyanusu geçerken bir noktaya geliyor, birbir-
lerine karışarak dönüp duruyorlardı. Ortalık ciyak
ciyak kuş sesinden geçilmiyordu. Neredeyse bütün
dünyayı dolduracak kadar yüksekti bu sesler. Ağ-
lıyor, haykırıyor, hesap soruyor ve çaresizliklerini
duyuruyorlardı birbirlerine.

"Ada nerede?" diye soruyorlardı. "Adamız nerede?
Uzun mesafeleri aşarken, hep bu adada konaklar
dinlenirdik. Ama şimdi adamız yok. Nereye inece-
ğiz? Ada yok olmuş. Bu durumda devam edemeyiz.
Kıyıya kadar gidemeyiz."

Ben bu konuşmaları anlıyordum ve bu hiç de tuhafıma gitmiyordu. Hatta o güne kadar neden martıların konuşmalarına dikkat etmediğime şaşırıyordum. Eskiden beri onların dilini biliyormuş gibiydim. Binlerce kuş birbirine karışarak, ciyaklayarak dönüp duruyorlardı gökyüzünde; ta ki yorgun kanatlarını kıpırdatamayacak hale gelene kadar.

Orada bir kara parçası bulup dinlenmeleri, okyanusun kalan kısmını aşacak gücü toplamaları gerekiyordu ama binlerce yıldır kondukları ada yok olmuştu işte.

Döndüler, döndüler, döndüler, giderek yavaşladılar, giderek alçaldılar. Sonra hepsi birden görünmez oldu.

Ortalığı derin bir sessizlik kapladı. Her yer kapkaranlık oldu.

İşte rüyanın tam burasında çığlık atarak uyandım. Annem koşup geldi, telaşla "Ne oldu yavrum?" diye sordu. "Sakinleş canım. Rüya mı gördün?"

"Evet anne!" dedim ve rüyayı bütün ayrıntılarıyla anlattım. "Adamız yok olmuştu!" dedim. "Denizin dibine batmıştı; bu yüzden göçmen kuşlar binlerce yıldır yaptıkları gibi açık denizi aşarken, ayak basacak bir yer bulamadılar. Birer birer yok oldular, deniz hepsini yuttu."

Annem şefkatle bana sarıldı. Ertesi sabah olacaklardan çok korkuyordum.

Yazar dayım haklıydı: "Oyun daha yeni başlıyor," ve korkunç günler hızla yaklaşıyordu.

Oysa fıstık toplama mevsimi gelmişti.

Bunu size anlatmış mıydım, daha önce sözü geçti mi çam fıstıklarının; hatırlamıyorum. Ama galiba... galiba anlatmadım.

Neyse, özür dileyerek kısaca şu bilgiyi vereyim size: Adamızda çok ilginç bir çam çeşidi vardır, *Pinus pinea*. Bu yüksek ağaçlarda, nadide fıstıklar yetişir. Bunlar çok para ettiği için bu mevsimde hepimiz ağaçlara tırmanır ve çam kozalaklarını toplar, içlerindeki fıstıkları çıkararak çuvallara doldururuz. Çuvallar bakkala teslim edilir, o da birtakım işlemlerden sonra vapura verir bunları. Başkentteki tüccarlar iyi para öder çam fıstıklarına. Gelen parayı yine bakkal alır ve adadaki bütün evlere eşit olarak paylaştırır. Bu para bizim zaten pek az olan gazete, süt gibi ihtiyaçlarımızı karşılar. Adadaki sade yaşamın para kaynağı budur işte.

O gece annemle, fıstık toplama mevsiminde olduğumuzu, bu olaylar yaşanmasa şimdi mutlu bir hasat dönemi yaşayacağımızı düşündük.

Oysa eskiden ne güzeldi. Sabah yola çıkanlar, önlerinden geçtikleri evdeki insanlara seslenirdi. Yetişebilenler kafileye katılarak çam ormanına doğru yürürdü. Öğle yemeği için götürülen yiyecekler, içecekler, fıstıkların doldurulacağı çuvallar, sepetler neşeyle taşınırdı.

Biz de babamla sürekli küçük yarışlara girer, birbirimizin sepetinden fıstık aşırırdık. Çevremizdekiler halimize kahkahalarla gülüp benim sepetime kendi topladıklarından atarlardı.

Herkes elinden geldiği, içinden geldiği kadarını yapardı. Kimin kaç saat çalıştığının, ne kadar fıstık topladığının hesabı tutulmazdı.

Çalışmaya en sık ara verenler –belki onlardan da size söz etmedim– müzisyen abilerim olurdu. Flüt ve gitar sesleri dolaşırdı ormanda. Bazen sözlerini bildiğimiz bir ezgi olurdu fıstık toplarken bize eşlik eden. O zaman biz de müzisyenlere eşlik ederdik. Bazen de daha önce duymadığımız bir müzik çalarlardı.

Birden annemin sesiyle hayallerimden uyanıverdim: "Bu kıyıma engel olmalıyız! Geri dönülmez noktaya gelmeden önce, komşularımızı uyarmalıyız."

Annem ayağa fırlayıp "Ben gidiyorum, sen yat bir

tanem," dedi. Benim uyuyamayacağımı fark edince vazgeçti: "Haydi, gel bakalım, birlikte gidelim."

Sonra beni elimden tutup sürüklemeye başladı. İlk önce 29 numaradaki emekli noter amcaya gittik. Onları uyandırmaya kararlıydık ama eve yaklaştığımız zaman gördük ki zaten kimse uyumuyor; hatta 30 ve 27 numaradakiler de gelmiş, bahçede fısıldaşıp duruyorlar.

Bizi görünce, lamba ışığıyla aydınlanmış yüzlerinde bir sevinç ifadesi okuduk. Onlar da aynı konuyu konuşuyorlardı ve bu işi durdurmamız gerektiğini düşünüyorlardı.

Adadaki huzuru bozacak böyle bir saldırıya izin veremezdik. Durup dururken masum hayvanları öldürmek, yumurtalarını kırmak kabul edilemezdi. Ne olursa olsun, bu saldırıya mutlaka engel olmalıydık.

Her zaman sözü dinlenen noter amca, "Komşularımızın çoğunun bizim gibi düşündüğüne eminim, hiçbir canlıya zarar vermek istemezler ama bugün toplantıda ne yapacaklarını bilemediler," dedi.

Aslında komşularımızı ikna edebilirdik ama saat çok geç olmuştu, beş altı saat sonra martılar yok edilmeye başlanacaktı.

Annem birden, noter amcadan kâğıt ve kalem

istedi. Ne yapacağını hepimiz çok merak etmiştik. Bir süre bir şeyler yazdı sonra "Size bir şey okuyacağım!" dedi.

"Yasak tanımaz rüzgâr
Zincir vurulamaz martıya
Bir de insan kalbine.

Bu Puşkin'in bir şiiri. Ben biraz değiştirdim. Aslı kartalla ilgili."

Noter amca, "Peki ne yapacağız bununla?" diye sordu.

"Biz de bir duyuru yazacağız..."

"Nasıl bir duyuru?"

"Martı savaşının ne kadar delice bir iş olduğunu anlatıp, altına da bu şiiri koyacağız."

"Sonra?"

"Sonra, bu duyuruyu yarım saat içinde bütün evlerin kapılarının altından atacağız. Uyanık olanlara da elden vereceğiz."

"İşte benim annem," diye geçirdim içimden. O sakin, hüzünlü görünümünün altında müthiş bir enerji ve mücadele ruhu gizliydi.

"Hadi işe koyulalım!" dedim.

Annem "Şiir silahtan güçlüdür!" diyerek duyuruyu kaleme almaya koyulmuştu.

Noter amca ve arkadaşları; sabahın erken saatlerinde martı kıyısına giden yolda bekleyip duyuruyu orada dağıtmayı önerdiler.

Günün ilk ışıklarıyla birlikte, martı kıyısına giden yola koştuk. Ortalıkta kimsecikler yoktu. Erkenci kuşlar ötüyordu ağaçlarda. Bir süre öylece bekledik, sonra sesler duyunca ayağa kalktık.

Başkan, adamları, 1 Numara ve 8 Numara geldiler. Hepsinin elinde birer tüfek vardı. Başkan da adamları gibi güneş gözlüğü takmıştı. Neşeli bir tavırla martı kıyısına doğru yürüyorlardı.

Bizi görünce şaşırdılar, ne yapmak istediğimizi anlamaya çalıştılar. Martı kıyımına karşı çıkan annemin orada bulunuşunu neyle açıklayacaklarını bilemediler. Acaba fikir mi değiştirmişti, yoksa başka bir amacı mı vardı?

Başkan bize sevimli bir gülümsemeyle, "Günaydın!" dedi. Olup bitenleri ve onun kim olduğunu bilmeseniz, sabah sabah günaydın diyen sevimli bir dedeyle karşı karşıya olduğunuza inanırdınız. Beyaz giysileri içinde son derece kibar görünüyordu.

"Bize katılmaya mı geldiniz?" diye sordu Başkan. "Sizlere birer tüfek verelim."

"Hayır!" dedi annem. "Biz katil değiliz! Hem siz bir çocuğa tüfek vermeyi nasıl teklif edersiniz?"

Bunun üzerine Başkan'ın yüzü kıpkırmızı kesildi, sinirden titremeye başladı.

"Sözlerinize dikkat edin hanımefendi!" dedi. "Kiminle konuştuğunuzu unutmayın."

Başkan'ın sinirlenmesi üzerine adamları da anneme doğru hareketlendiler. Ben aralarına girdim. Elimdeki duyuruları önce adamlara, sonra Başkan'a ve diğerlerine verdim.

Şaşırmışlardı. Başkan baktı ve "Nedir bu?" diye sordu. "Asıl siz küçücük çocuğu kendi işlerinize alet etmişsiniz."

"Barışa Çağrı!" dedim. Bu isim, birden nasıl aklıma gelmişti bilmiyorum ama annemin yüzündeki mutluluktan doğru bir şey söylediğimi anlamıştım.

Başkan yine şaşkınlığını gizleyemeyerek duyuruyu yüksek sesle okudu:

"Sevgili komşularımız,

Sizleri bu sabah yapılacak martı kıyımı konusunda uyarmak için bu duyuruyu kaleme alıyoruz. Martılar bu adanın barışçı sahipleridir, bizim komşularımızdır. Bizlerden çok önce bu adaya yerleşmiş ve binlerce yıldır burayı yurt edinmişlerdir. Bize hiçbir zararı dokunmayan bu masum canlıları katletmek vicdansızlıktır.

Bu nedenle, siz sevgili barışsever adalıları bu in-
sanlık suçuna ortak olmamaya, barış ve huzurun
bayrağını yükseltmeye çağırıyoruz."

Başkan bir an durdu, sonra devam etti:

"Yasak tanımaz rüzgâr
Zincir vurulamaz martıya
Bir de insan kalbine."

Bir süre okuduklarına hayretle baktı, sonra
kahkahayla gülmeye başladı. Öyle yapmacıktan
değil, sahiden, gözlerinden yaş gelecek kadar gülü-
yordu. Ötekiler de gülmeye başladılar.

Başkan, "Hele şu şiir, hele şu şiir!" diyerek ka-
tılıyor ve kahkahalardan kesik kesik bir biçimde
okumaya çalışıyordu.

"Dinleyin, dinleyin: Yasak tanımazmış rüzgâr
ve... ve... zincir vurulamazmış martıya. Bu kadar
saçma bir şey okudunuz mu şimdiye kadar ha, ha?
Zincir vurulamazmış martıya!"

Başkan bir süre güldükten sonra sakinleşti ve
ciddileşip "Ben bu barış duyurusu numaralarını
çok gördüm," dedi. "Toplumun huzurunu bozmak
istiyorsunuz siz."

Bu karşılaşma umudumuzu kırmıştı ama ilginç bir durumun farkına vardık: Ortalıkta kimse görünmüyordu. Elimizde duyurularla, ağaçlı yoldan gelecek insanları beklememize rağmen kimse gelmiyordu. Ortalık sessizdi.

Bir süre daha bekleyince içimizdeki sevinç iyice arttı. Çünkü aradan bir saat geçmesine rağmen yine kimse gelmemişti. Sadece Başkan, adamları ve iki adalı. Hepsi bu kadar!

Adalıların bu kıyıma katılmaması içimizi tekrar umut ışıklarıyla doldurdu. Demek ki dün toplantıda mecbur kaldıkları için öyle söylemişler, sonra düşünüp taşınıp kendilerine gelmişlerdi.

Açıklamakta güçlük çektiğimiz tek olay, 1 Numara'nın bu kadar kolayca tuzağa düşmesi ve Başkan'ın safına kayıvermesiydi. Belli ki adanın tek sahibi olma fikri hoşuna gitmişti. Ama işler böyle giderse, sonunda onu da tekrar kazanabilirdik.

Tam bu anın keyfini çıkarıyorduk ki ilk silah sesini duyduk. Yanımızdaki tepe, martı kıyısını görebilecek bir konumdaydı. Hemen oraya tırmandık. Bu arada silah sesleri artmıştı.

Tepeye vardığımızda gördüğümüz manzara dehşet vericiydi. Başkan ve adamları sahilde durmuş, martılara ateş ediyorlardı.

Martılar çığlık çığlığa uçuyor, yumurtalarını bırakarak havada daireler çiziyorlardı.

Elimiz kolumuz bağlı, hiçbir şey yapamadan bu dehşet verici kıyımı izlemek korkunçtu. Annemin gözlerinden akan yaşlar dinmek bilmiyordu. Kesik kesik hıçkırıyor, beni korumaya çalışıyordu.

Silah sesleri adanın her tarafından duyuluyor olmalıydı ama ortalıkta kimse yoktu. Sanırım herkes evine kapanmıştı.

Kıyım birkaç saat devam etti ama martılar o kadar çoktu ki, öyle birkaç tüfekle yok edilmeleri mümkün değildi. Kıyıdan kaçıp uzaklaşabilirlerdi ama biraz gittikten sonra yumurtalarını koruma içgüdüsüyle geri dönüyorlardı.

Adamlar bir sürü martıyı öldürdükten sonra ya bıktılar, ya yoruldular ya da taktik değiştirdiler. Geri döndüklerini gördük.

Çocuk gözlerim böyle bir vahşete ilk defa tanık oluyordu. Annem sıkıca sarılıp "Haydi eve dönelim artık," dedi. Eve geldiğimizde bile martıların acı çığlıklarını duyabiliyorduk.

O çığlıkları hiçbir zaman unutmadım. Çünkü unuttuğum gün Başkan'dan bir farkım kalmayacağını biliyorum.

ON

Eve geldikten hemen sonra dayımı aramaya çıktık. Bazı martılar ölmüştü ama bu iş Başkan ve adamları için genel olarak başarısızlıkla sonuçlanmıştı. Adalıların bu tavrından sonra herhalde uzun süre böyle bir şeye kalkışamazlardı.

Ne var ki Mor Su'da dalgın dalgın otururken bulduğumuz dayım bu düşüncemize katılmıyordu. Annemin hazırladığı duyuruyu okudu, başını salladı, beğendiğini belirtti ama bu kadar iyimser olmak için bir sebep göremediğini söyledi.

Başkan, böyle bir iki denemeyle pes edecek bir adam değildi.

Tam o sırada aklıma gelen parlak bir fikirle heyecanlandım:

"Süper bir fikrim var dayı. Yarın herkese haber

101

verip fıstık toplama işine başlayalım. Yine her yılki şenliklerimizi yapalım. Fıstıkları çuvallara doldurunca toplu akşam yemeğimizi yiyelim; müzisyen abilerim gelsinler, dans edelim. Böyle neşeli bir ortamda Başkan da unutulur gider, onun 'martı savaşı' da!"

Annem ve dayım kaygılı olsalar da fikrimi beğenmişlerdi, sessizce başlarıyla onayladılar. Dayım benimle gurur duyduğunu göstermek için gülümseyerek sırtıma vurdu.

Öğleden sonra gidebildiğimiz kadar çok eve uğradık, komşularımızı ertesi gün hep birlikte fıstık toplamaya davet ettik.

Ne yazik ki o akşam dilsiz arkadaşım evlerimize birer duyuru dağıttı. Daha kâğıdı görür görmez bir aksilik olduğunu anladık. Duyuru adanın sahibinin kim olduğunu bir kez daha vurguluyor, fıstık ağaçlarının da adaya dâhil olduğunu, dolayısıyla çamlardan tek bir fıstık bile toplanırsa bunun hırsızlık kapsamına gireceğini açıkça belirtiyordu.

O sırada bahçede akşam yemeği yiyorduk, dayım da bizdeydi. İlk şaşkınlığı üstümüzden attıktan sonra ne yapacağımızı düşündük. Dayım planlarımızda bir değişiklik yapmamamızı ve ertesi sabah kararlaştırılan saatte fıstık toplamaya gitmemizi önerdi.

Öyle de yaptık. Ertesi gün erkenden fıstık çamlarının gökyüzünü kapladığı o güzelim ormanın kuytuluklarına gittik. Elimizde ipler ve çuvallar vardı. Yirmi kişi kadardık. Adalıların tümü katılmıyordu bu işe ama yirmi kişi de yeterliydi.

Bizimle birlikte olanları yüreklendirmek ve diğerlerini de özendirmek amacıyla, gitar ve flüt çalan abilerimden, fıstık toplamak yerine müzik yapmalarını rica ettim. Onlar da neşeli havalar çalmaya koyuldular. Flütün sesini duyan orman kuşları da şakımaya başladı. Buna karşılık martılar görünmüyordu ortalıkta. Uçmuyorlardı bile, derin bir sessizliğe gömülmüşlerdi.

Ağaçlardan kozalakları topluyor, çuvallara dolduruyorduk. Daha sonra bunları güneşte kurumaya bırakacak, aradan bir süre geçince de kozalakları kırarak içindeki lezzetli fıstıkları çıkarıp paketleyecektik.

Toplama işi öğlene kadar sürdü. Epeyce kozalak topladık, güneş tam tepedeyken mola verdik. Yanımızda getirdiğimiz sandviçleri yemeye koyulduk.

Tam bu sırada Başkan'ın adamlarının bize doğru yaklaştığını gördük.

"Kendinize ait olmayan bir mülkte fıstık topluyorsunuz. Bu yasadışı bir durumdur. Derhal dağılın!" dediler.

"Biz yıllardan beri bu işi yaparız. Burası hepimizin!" diye karşı çıktı büyükler.

"Tapu öyle söylemiyor ama," dediler. "Derhal dağılın!"

"Ada sahibi söylemeden gitmeyiz."

"Biz zaten ada sahibinin isteğiyle buradayız."

"Buna yetkiniz yok!"

"Var, biz devletin güvenlik birimlerine bağlıyız ve bu ada da ülkemizin bir parçası. Burada yasanın uygulanmasından biz sorumluyuz. Derhal dağılın, yoksa..."

"Yoksa ne?"

Adamlar bu noktada silahlarını çıkardılar ve "Bu emre karşı geleni tutuklama yetkimiz var," dediler.

Annem hemen önüme geçti. Dayım acı acı güldü: "Bu adada hapishane bile yok!"

"Hele bir karşı koymayı deneyin, var mı yok mu görürsünüz!"

İşler iyice çığırından çıkmıştı artık. Fıstık toplamayı bırakmaktan başka çaremiz yoktu.

Çaresiz bir halde, topladığımız fıstıkları da orada bırakarak ayrıldık.

Dönüş yolunda hiç konuşmadık, doğruca evlerimizin yolunu tuttuk. Başkan kazanmıştı. Adalının tek gelir kaynağı olan fıstıklardan hiç kimse pay alamayacaktı. Üstüne üstlük adamlar o kadar kararlıydı ki, sonunda evlerimiz bile elimizden gidebilirdi.

Bir tarafta parasız kalma ve evlerimizi kaybetme korkusu, öteki tarafta turizm cennetine dönüşecek adamızda zengin olma hayali vardı.

Annem de hiç konuşmuyordu. Kötülüğün her yerde galip geldiği ve iyiliği ezdiği yolundaki inancı bir kez daha doğrulanmıştı.

O akşam bir duyuru daha geldi evlerimize. Hepimiz, ertesi sabah 8'de martılara karşı savaşmak üzere meydanda toplanmaya çağrılıyorduk.

Barış ve sevgi dolu adamızda bir gün bir savaşa çağrılacağımız hiç aklıma gelmezdi ama bu da olmuştu işte.

Duyuru ayrıca, adalı tüm yetişkinlere silah dağıtılacağını belirtiyor, kadın erkek herkesin pantolon ve bot giymesi talimatını da içeriyordu. Uzun süre evlere dönmeyeceğimiz için yanımıza su ve fazla olmamak şartıyla bir miktar yiyecek alabilirdik.

Şapka ve güneş gözlüğü takılması da tavsiye ediliyordu.

Gece yatakta annemin sessizce ağladığını duydum. Sonra yanıma geldi, uyumadığımı görünce yatağıma oturup sessizce başımı okşadı ve adayı terk etmemizi önerdi. "Gidelim buradan canım!" dedi. "Artık burası Son Ada değil, savaş alanı! Baban iyi ki bunları görmedi. Senin de bu şiddete tanık olmanı istemiyorum bir tanem."

"Nereye gidebiliriz ki!" dedim. "Artık her yerde şiddet var. Gazetelerde gördüm; burada martı öldürülüyorsa, orada da insan öldürülüyor. Bunları bilmediğimi mi sanıyorsun anne. Her şeyi anlayabilecek kadar büyüdüm. Geldiğimiz şehirde bizi daha iyi bir yaşam beklemiyor! Adadan kaçarak beni savaştan koruyamazsın. Burada kalıp mücadele etmeliyiz, adamızı kurtarmalıyız."

Annem cevap vermedi.

ON BİR

Ne garip! Mücadele martılarla başlamıştı ama sanki insanlar arasındaki bir kavgaya dönüşüyordu. Ne kadar acı olursa olsun şunu itiraf etmeliyim ki, bu kavga adaya bir canlılık getirmişti.

Bu sırada martılar ne durumdaydı, ne yapıyor, yaralarını nasıl sarıyorlardı, bilemiyorum.

Olaylar olmadan önce de zaman zaman düşünür, kendimi bir martı yerine koyarak adayı onların gözüyle seyretmek isterdim. Acaba gökyüzünden baktıkları zaman, aşağıda yürüyen, konuşan, yemek yiyen insanları nasıl görüyorlardı?

Annem yanıma gelip bana sıkıca sarıldı. Birlikte evden çıkıp yavaşça yürümeye başladık. Sabah olmuş, güneş adayı ışığıyla yıkamaya, deniz yüzeyini ayna gibi pırıl pırıl parlatmaya başlamıştı. Yapraklar gece oluşan çiyle daha da yeşil görünüyordu.

Sabah sisi yavaş yavaş dağılırken, merak içinde uzaktan iskeleyi izlemeye koyulduk. Önce Başkan'ın botta yaşayan adamları çıktı meydana, sonra 1 Numara, ardında bazı komşularımızla geldi.

Adalılardan on sekiz kişi saydık, daha sonra kimse gelmedi. Zaten gelenler de tedirgin tedirgin çevreyi süzüyor, bir fırsat çıksa da oradan tüysek der gibi bakınıyorlardı.

Sonunda Başkan da geldi. Onlara bir konuşma yaptığını gördük. Adamları herkese silah dağıttı. Sonra yürümeye başladılar. Siyah gözlüklü adamlar önden gidiyordu. Başkan onların hemen arkasındaydı. Adalılar ise yorgun bir askeri birlik gibi izliyordu onları. Belli bir uzaklıktan biz de peşlerine düştük.

Tam üstümüzde uçan iki martıya bakıyordum ki, dayımın sesini duydum. Tepeleri tıraşlanmış ağaçlık yolda birliğin önüne çıkmış, "Durun!" diye haykırıyordu. "Durun! Buradan bir adım öteye gitmenize izin vermiyorum."

Başkan, bu akıl almaz cesaret karşısında şaşırmış bir halde "Sen de kim oluyorsun?" diye sordu.

"Bir adalı olarak bu kıyıma karşı çıkıyorum."

"Adamlarım canını yakmadan çekil kenara!"

"Çekilmiyorum, martıları öldürmenize izin vermeyeceğim."

"Sana ne martılardan be adam? Bak, adanın sahibi bizimle."

"Bu adanın asıl sahibi martılardır. Bizden binlerce yıl önce gelmişler buraya!"

"Ama onlar vahşi. Hiç vahşiden ada sahibi olur mu?"

"Onlar vahşi de siz medeni misiniz?"

"Elbette. Her şeyin sahibi medeniyettir, vahşiler orada kaç bin yıldır yaşarlarsa yaşasınlar, sahip sayılmazlar."

"Martılar bu adanın sahibidir!"

"Hayır efendim. Martılar bu adanın düşmanıdır. Çekin şunu yolumun üstünden."

Başkan'ın emri üzerine, zaten kendilerini zor tutan iki adam dayıma doğru atılıp onu kıskıvrak yakaladılar. Dayım durmadan debeleniyor ellerinden kurtulmaya çalışıyordu.

Sonra Başkan'ın, adamlarına, "Bu bozguncu adamı bir yere kapatın!" dediğini duyduk. Dayımı iki kolundan tutarak sürüklediler. Annem peşlerinden gitmeye, dayımı kurtarmaya çalıştı ama bu, boşuna bir çabaydı.

Biz de geri dönüp Başkan ve yanındakilerin peşine düştük ve ne yazık ki bir gün önce gördüğümüz kıyımın daha büyüğüne tanık olduk.

Martılar yine çığlık çığlığa uçuyorlardı. Yumurtalarını bırakıp bir an havalandıktan sonra içgüdüleriyle geri dönüyor ve silahlardan çıkan kurşunlarla vuruluyorlardı. Geride uçuşan tüyler bırakarak denize düşüyorlardı.

Yavrularını koruma çabaları, onları öldürenlerin eylemini daha da canavarca kılıyor, insanın gözünden yaş getiriyordu. Adalıların çoğu boşa silah atıyor martıları vurmamaya çalışıyorlardı.

Böylece kumsala kadar ilerlediler.

Yer gök martı çığlığına kesmişti. Her zamanki haykırışlarına benzemiyordu bunlar. Çığlıkları yüreklerimizi yakıyordu.

Eskiden annem ve babamla denizin dalgalı olduğu günlerde kıyıya oturur, yavru martıların salınışını seyretmeye doyamazdık. O bebek martıların, kabaran dalgalara binip bir beşikte sallanır gibi kendilerini bırakmalarına bayılırdık.

Bir ara kıyıda gözüme dilsiz arkadaşım ilişti. Diğer gruptan epey uzakta, tek başına yere çömeliyor ve kalkıyordu. Ne yaptığını tam olarak göremiyordum.

Bir süre sonra martıların adadan uzaklaştıklarını fark ederek şaşırdım. Sanki toplu bir karara varmışlar ya da emir almışlar gibi birden yön değiştirdiler. Yumurtalarına hamle yapmaktan vazgeçip, adanın batısına doğru uçtular.

Ortada hiç martı kalmadı, sesleri de duyulmaz oldu. Adaya tam bir sessizlik çöktü.

Başkan ve çevresindekiler hiç ummadıkları bu sessizlik karşısında silahlarını indirmekten başka çare bulamadılar ve başladılar vahşi bir sevinçle yumurtaların üstünde dolaşmaya. Adalılar bu işte de gönülsüz davranıyor, hiç yumurta ezmiyorlardı.

Artık orada yapacak işimiz kalmamıştı.

Üzüntüyle yürürken bir evin önünde toplanmış küçük bir kalabalık gördük. Gitar ve flüt çalan müzisyenleri dinliyorlardı.

Müzisyen abilerim enstrümanlarıyla, daha çok sakin ve bazen de neşeli ezgiler çalarlardı. O akşam çalınan müzikteki çığlık ifadesini, yürek acıtan ezgiyi ilk kez duyuyordum.

Bu arada sevgili dayıcım, aklıma senin bütün bunları bize daha önce söylediğin, hepimizi uyardığın geldi ve kendimi çok suçlu hissettim.

Ne diyebilirim! Beni affet!

Sana bütün kalbimle seslenmek istiyorum sevgili dostum, ustam, dayım.

Beni affet!

Beni affet!

Affet!

ON İKİ

O hüzünlü olayın ardından, bahçemizde oturmuş, durmadan, "Başkan niye bu kadar kötü?" diye düşünüyordum.

Bakkalın arkasındaki odunluğa kilitlendikten sonra akşamüstü salıverilen dayım da bizimleydi. Adanın ilk tutuklusu olmuştu.

Annem az önce benim aklımdan geçen soruyu, sanki kendi kendine konuşur gibi sordu.

"Bu adam niye bu kadar kötü?"

Hiçbirimiz ses çıkarmadık. Gece sessizdi, martı çığlıkları duyulmuyordu, adada çıt çıkmıyordu. Acaba Başkan planında başarılı olmuş ve bütün martıları adadan kovmuş muydu? Niye o gün öğleden sonra ya da akşamüstü hiç uçan martı görmemiştik?

Sanki her zamanki adamızda değil de yabancı bir diyardaydık.

Dayım üzerimize çöken sessizliği bozdu: "Bu adam çok korkuyor, işte neden kötü olduğunun açıklaması bu: İçindeki büyük korku! O bir diktatördü. Tüm ülkeyi baskıyla, şiddetle ve insanları korkutarak yönetti.

İnsanlar onu sevmediler, demokratik bir şekilde seçmediler. Ve işte bu yüzden de düşmanları oldu. Adamıza da düşmanlarından, yaptığı kötülüklerin sonuçlarından kaçmak için geldi."

Dayım bize Başkan hakkında bildiklerini anlatmaya devam etti.

Başkan yoksul bir ailede büyümüş, zor günler geçirmiş. Yardımlarla okumuş, evlenmiş. Askerlikte yükseldikten sonra da devlet başkanlığına getirilmiş. Herkesi devletin düşmanı olarak kabul ediyor, her sorunun savaşarak çözüleceğini sanıyormuş. Özgür ve barış dolu bir ülkeyi aklı almıyor; halk çok sıkı kurallarla denetlenmezse, karışıklık çıkıp ülkenin içine düşmanlar karışır sanıyormuş. Şimdi bu fikirlerini bizim adamıza da uygulamaya çalışıyordu.

Baksanıza yıllardır neşeyle bir arada yaşadığımız martıları bize düşman etmişti. Ve bunun tek nedeni, para ve güç hırsıydı.

Bir süre sonra annemle dayım komşularımızdan konuşmaya daldılar.

Komşularımızın az da olsa bir bölümü Başkan'ın tehditlerine dayanamayarak onun yanında yer almıştı ama bu işe gönülsüzce katıldıkları belliydi. Martılara ateş etmemişler, yavruları öldürmemişler, kayalıklardaki yumurtaları kırmamışlar, sadece orada bulunmuşlardı. Ayrıca adalıların çoğu da tehditlere kulak asmayarak, bu kıyıma katılmamıştı.

Babam aklıma gelmişti yine. Keşke şimdi burada olsaydı. Bize, anneme ve dayıma yardım ederdi. Adamızı bu kötü yürekli Başkan'dan kurtarmak için bir yol bulurdu mutlaka.

Son Ada'yı öyle çok severdi ki. Adada yetişen her bitkiyi, her hayvanı tek tek ezbere bilirdi. Karşılaştığı canlıları sevip okşardı. Bana onlarla ilgili kimi zaman komik hikâyeler ya da efsaneler anlatırdı. Kimi zaman da bilimsel bilgi bombardımanına tutardı kulaklarımı. Ben de dayanamayıp her defasında, "Googlematik devreye girdi yine," diyerek kızdırırdım onu.

O güzel uzak hayallerden uyanıp tekrar annemle dayımın konuşmasını dinlemeye başladım.

Dayım bize ders verir gibi, "Bakın," dedi, "Başkan'ın korktuğu tek şey soru. Soru sorulmasından ödü kopuyor."

"İyi de martıları niye öldürüyor o zaman, onların Başkan'ı sorguladığı yok ki!" diye cevap verdim ben de.

Dayım bir an durdu, şaşırdı, ne cevap vereceğini bilemedi. Sonra mırıldanır gibi, "Bir yerde kötülük varsa, oradaki herkes biraz suçludur," diyerek kalkıp evine gitti.

Biz de ardından suçlu suçlu bakakaldık.

Annem yatmadan önce bana serçe ile avcı hikâyesini anlattı:

Çok soğuk bir gün, serçe ile yavrusu bir dala konmuş. Biraz sonra bıyıkları buz tutmuş ve gözleri soğuktan yaş içinde bir avcının yaklaştığını görmüşler. Serçe yavrusu, "Bak anne," demiş, "ne kadar merhametli bir adam, gözleri yaş içinde." Anne yavrusunu ses çıkarmaması için uyarmış, "Sen onun gözündeki yaşa değil, elindeki kana bak!" demiş.

Annemin bana bu hikâye ile ne demek istediğini biliyordum. Biz, yani tüm ada halkı ne serçe kadar saftık ne de avcılarla başa çıkma gücüne sahiptik. Başkan'ın yaptığı kötülükleri görüyor ama buna ses çıkarmıyorduk.

ON ÜÇ

Ogece sabaha doğru, ada tarihindeki ilk martı hücumu başladı.

Evde bomba patladığını sanarak büyük bir panikle yataktan fırladığımızda henüz bunu bilmiyorduk. Uyku sersemi, sesin geldiği oturma odamıza doğru koştuk. Sabah serinliği yüzümüze çarptı, cam kırılmıştı.

Işığı açınca odanın ortasında kanlar içinde bir martı gördük. Ölü martının görüntüsü korkunçtu. Denizdeki ölü martıları ya da daha önceleri sahilde ölmüş olanları görmüştük ama bu bambaşkaydı. Çünkü evimizin içindeydi. Kanepenin hemen önünde yatıyordu.

Annem bana sarılmış tir tir titriyordu. Şaşkınlığımızı atlatır atlatmaz dışarıdan sesler ve çığlıklar geldiğini fark ettik. Camlar patlıyor, kiremitler kırılıyor, martı sürüleri çığlık çığlığa haykırıyordu.

Kırılmış camdan biraz başımı uzatmaya cesaret ettiğimde, dünyanın bütün martıları bizim adaya toplanmış gibi geldi. Havada uçmuyor da âdeta bir bütün olarak, oradan oraya akıyorlardı.

Sabahın alacakaranlığı beyaza kesmişti. Martıların çığlıkları neredeyse kulaklarımızı sağır ediyordu. Evlerden haykırışlar yükseldiğini duyduk. Bu arada bizim evin çatısından da sesler gelmeye başladı, sanki birisi dama çıkmış kiremitleri kırıyordu.

Sabah olduğunda, bunun da martı hücumunun bir parçası olduğunu anlayacaktık. Sahilden aldıkları büyük taşları yüksekten evlerin çatılarına bırakıyorlardı ve bu taşlar gittikçe hız kazanarak kurşun gibi düşüyordu kiremitlerin üzerine.

Martıların çok akıllı ve örgütlenebilen bir tür olduğunu okumuştum ama bir kısmının kiremit kırma, bir kısmının insanlara saldırma işine ayrıldığını, bazı martıların ise intihar saldırısı yapma görevini üstlendiğini anlayınca gördüklerime, duyduklarıma inanamadım.

Adalılara ve onların yaşadıkları evlere karşı düzenli, iyi planlanmış, akıl ve fedakârlık gerektiren bir saldırı yapıyorlardı.

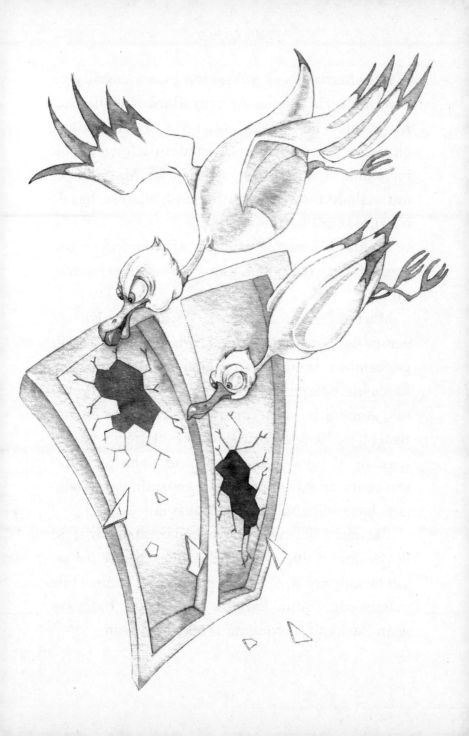

Bazı martılar çok yüksekten evlere doğru pike yapıyor, hızla camlara vuruyorlardı kendilerini. Bu çarpma bir bomba etkisi yaratıyordu, martı ölürken, çarptığı evlerde de camlar patlıyor, büyük bir panik ve korku baş gösteriyordu. Martı hücumu başladıktan sonra duyduğumuz silah sesleri de bir süre sonra kesilmişti.

Dayımı çok merak etmiştik ama korkuyorduk; o gün dışarı çıkamadık, kimseyle de haberleşemedik.

Martı hücumu aralıklarla devam etti. Kırılan camın üstüne perde gererek örtmeye çalıştık, diğer camları da elimizden geldiği kadar kumaşlarla kaplayıp, dolapları dayayarak güvenli hale getirdik. Annem bunları yaparken sürekli söyleniyor, beni bu tehlikelerin ortasında bıraktığı için sürekli kendini suçluyordu. Evimizi biraz daha topladıktan sonra en güvenli yer olan annemin yatak odasına kapandık. Martıyı unutmuştuk.

Başımıza gelenler bizi o kadar şaşırtmıştı ki doğru dürüst düşünemiyorduk bile. Sadece bir şeyin farkındaydık, martıları suçlamak aklımıza bile gelmiyordu. Buna karşılık bu dertleri başımıza açan Başkan'a duyduğumuz öfke artıyordu.

* * *

Ertesi sabah, adaya müthiş bir sis çöktü. Dışarısı süt beyazdı, göz gözü görmüyor, ancak bazı karaltılar seçilebiliyordu. Adayı bir masal diyarına çeviren günlerden biriydi bu. Sis daha önce hiç bu kadar sevindirmemişti bizi.

Annemle birlikte dikkatlice evden çıktık. Ortalıkta martı görünmüyordu ama yine de belli olmazdı. Birdenbire tepemizde biterlerse yapabileceğimiz hiçbir şey yoktu. Önce noter amcanın evine gittik; dayımın, müzisyenlerin ve bazı komşularımızın da orada olduğunu gördük. Onların camı da boydan boya kırılmıştı, ev savaştan çıkmış gibiydi.

Tahmin edeceğiniz gibi sohbetin uzunca bir bölümü Başkan'ı eleştirmekle geçti. Gelişiyle ve korkunç fikirleriyle adamızı mahvetmişti. Martıların bu işte hiçbir suçu yoktu. Şimdi ne yapacaktı acaba? En doğrusu adayı terk etmesiydi.

Dayım da aynı fikirdeydi, düşüncelerimizi Başkan'a o iletecekti. Kendiliğinden sözcümüz olmuştu.

Hep birlikte evden çıktık, Başkan'ın evine yollandık. Sis o kadar yoğundu ki, gökyüzünün bütün bulutları adaya inmiş de yeryüzünde dolaşıyormuş gibi görünüyordu. Elimi salladığımda buharın uçuştuğunu görebiliyordum. Kendimi sihirli güçleri olan bir roman kahramanı gibi hissediyordum. Bu büyülü adadaki ejderha ile mücadele edecek ve dünyayı kurtaracaktım, buna bütün kalbimle inanıyordum.

Yolda birkaç komşumuzun daha katılmasıyla gerçeğe döndüm.

Ada halkı sözleşmiş gibi birbirini buluyor ve toplanıyordu. Herkes Başkan'a öfkeliydi.

Evinin önünde nöbet tutan adamlara Başkan'ı görmek istediğimizi hep beraber söyledik.

"Çabuk haber verin, buraya gelsin!"

Biraz sonra Başkan verandada belirdi. Yüzü beyazlaşmış mıydı yoksa bana mı öyle geliyordu bilemiyorum ama epeyce şaşkın olduğu belliydi.

"İşte," dedi, "martıların ne kadar tehlikeli yaratıklar olduğu ortaya çıktı, değil mi komşularım? Ben size bunu anlatmaya çalıştıkça siz görmezden geliyordunuz. Bu vahşi kuşları savunuyordunuz bana karşı!"

Dayım, "Bu sözleri söyleyecek cesareti nereden buluyorsunuz?" dedi. "Yaptığınızı görmüyor musunuz, adanın halini görmüyor musunuz, bizi ne hale getirdiğinizi görmüyor musunuz? Ha!.."

Herkes dayıma destek veriyor, ellerini kızgın bir ifadeyle Başkan'a doğru sallıyordu. Adamları ne yapacaklarını şaşırmış gibiydi. Adaya geldiklerinden beri ilk kez tereddüt eder gibi bir halleri vardı.

O gün dayımın Başkan'a kafa tutan ve neredeyse onu korkutmayı başaran haliyle gurur duymuştum. Korkusuzca dikilmişti önlerine, onlardan hesap soruyordu.

O an oluşturduğumuz dayanışmayı sürdürebilseydik, bugün başımıza bunlar gelmezdi.

Başkan'ın sesiyle irkildim. "Şimdi de beni mi suçluyorsunuz?" dedi ama sesi eskisi kadar güçlü çıkmıyordu. "Camları, kiremitleri ben mi kırdım? Sizi içeri ben mi hapsettim? Yüzsüzlüğün bu kadarına pes. Medeni insanlar olarak kafa kafaya verip bu beladan nasıl kurtulacağımızı düşüneceğimize birbirimizi suçluyoruz."

Dayım, "Kuşları öldürmek medeniyet değildir!" diye haykırdı.

Hepimiz, "Evet, evet!" diye bağırırken gözüm Başkan'ın kız torununa takıldı. Ses çıkarmadan, sadece ağzını oynatarak bana bir şey söylemeye çalışıyordu. Tam o sırada başlarımızın üzerinde hışım gibi belirdi martılar, üstümüze doğru pike yapıp gaga darbeleri vurmaya başladılar.

Ellerimizle başımızı koruyarak kaçmaya çalıştığımız için ne olup bittiğini tam olarak göremedik. Martı çığlıkları insan haykırışlarına karışmıştı, silah sesleri duyuluyordu. İster istemez en yakın korunaklı yer olan Başkan'ın evine doğru kaçtık. Adamlar, pencerenin kenarında siper almış, martılara durmadan ateş ediyordu.

Herkes o kadar korkmuştu ki biraz önceki tartışma birden kesilivermişti. Önce bu beladan kurtulmak gerekiyordu. Kimin suçlu olduğu tartışması ertelenmişti artık.

Başkan, "Bir fikri olan var mı arkadaşlar?" diye sordu.

Bu geçici ateşkes ortamında, tüm adalıların sözcülüğünü üstlenmiş olan dayım, "Yapacak çok fazla bir şey yok," dedi. "Karanlık çökünce fazla dikkat çekmeden evlerimize gidelim ve öfkelerinin geçmesini bekleyelim. Herhalde sonsuza kadar saldıracak değiller."

Başkan bizimle aynı fikirde değildi. Saldırıya daha şiddetli bir saldırıyla karşılık verilmesi gerektiğini savunuyordu. Düşmana karşı yıldırıcı, moral bozucu, yok edici bir şiddet kullanılmalıydı. Bunun başka çaresi yoktu, yoksa her şey daha kötü olurdu. Bu saldırının cezasız kalması düşünülemezdi. Herkes ne kadar dil döktüyse de onu bu korkunç fikirden vazgeçirmeyi başaramadı.

Otoriter bir edayla hepimizi süzüyor ve böyle

durumlarda kararlılık göstermek gerektiğini söylüyordu. Düşmana karşı zayıf duruma düşemezmişiz. Eğer evlerimizde güvenli bir şekilde oturmak istiyorsak bu savaşı göze almak zorundaymışız.

"Benim yıllarca bu ülkenin başkomutanı olduğumu unuttunuz mu arkadaşlar?" diye sordu sonra. "Bırakın da bu işleri sizlerden daha iyi bileyim."

Annem, "Zaten savaştan başka şey düşünmediğiniz için her şey bu hale geldi ya!" dedi ama Başkan ona aldırmadan savaş planlarını açıklamaya başladı.

Başkan'ın adamları gece karanlığından yararlanarak gizlice, kıyıyı gören bir sığınak yapacaktı. Basit bir şey olacaktı bu ama yine de atış timlerinin zarar görmesini önleyecekti. Geceleri bu sığınakta yer alan atış timleri, hava aydınlanınca ateş etmeye başlayacak ve martıları yok edecekti. Bu iş için gerekli cephane de gece taşınacaktı.

Sanki Başkan kötü bir şaka yapıyordu. Duyduklarımıza inanamıyorduk. Ne yazık ki son derece ciddi olduğunu gördük.

İçimden kim bilir kaçıncı kez, "Başkan niye bu kadar kötü?" diye düşündüm.

Eskiden babamla insanları hayvanlara benzetme oyunu oynardık. Kiminin yüzü bir kuşu andırır, kimininki bir koyunu; bazı insanlar ata benzer, suratları aynen at gibi uzundur; bazıları kurt yüzüne sahiptir. İnsanların, benzedikleri hayvanların karakterini aldığını düşünürdük. Ne bileyim, belki de öyle geliyordur içlerinden, öyle hissediyorlardır. Bir koyuna, niye böyle uysal davranıyorsun ya da bir kurda, niye böyle yırtıcısın diye sorulur mu!

O anda Başkan'ın neye benzediğini buldum. Kısılmış ince dudakları yüzünün alt kısmında bir kesik gibi duruyor, kenarları biraz aşağı doğru çekiliyordu. Çıkık elmacık kemikleri ve gözlerindeki ifadesiz bakış tam bir köpekbalığını andırıyordu. Bunu niye daha önce görmediğime şaştım.

"Demek ki, onun da doğası bu," diye düşündüm, "köpekbalığı doğası." Ona niye bu kadar zalim olduğunu sormak, köpekbalığına niye böyle yırtıcı dişlere sahip olduğunu sormak kadar anlamsızdı.

Dünyayı böyle görüyordu, kimse onu başka bir dünyanın da olabileceğine ikna edememişti. Belki bir mucize olur da, yaptıklarının ne kadar yanlış olduğunu anlardı. Şiddetin sadece sorunların üzerini örttüğünü, hiçbir şeyi çözemediğini görürdü.

Hava kararınca Köpekbalığı'nı savaş oyunuyla baş başa bırakıp evimize döndük.

Martı salonda cansız bir halde yatıyordu. Onu ne yapacağımızı bilemiyorduk. Ben zavallı martıya dokunmak şöyle dursun bakamıyordum bile. Bir süre sonra annem martıyı yavaşça eline aldı. Bahçeye çıkıp onu gözyaşları içinde gömdü. Martının yaptığı iş, kendisini öldürmesine değmemişti. Alt tarafı bir cam kırılmıştı. Adada cam zor bulunsa bile vapurla getirtilir ve yerine takılabilirdi.

Martıların hayatları pahasına asıl elde ettikleri, korkutmaydı, yüreklere dehşet salmaydı. Ama korku duygusu geçiciydi. İnsan bir gün korkar, ertesi gün unutur, hayatın ayrıntılarına dalar ve kahkahalarla gülebilirdi.

Martı gömülürken aklıma üzücü bir şey geldi. Belki de intihar bombacısı olan martılar, yavruları ölenler arasından seçilmişti. Hatta belki de kendileri bu işe gönüllü olarak kalkışmışlardı. Evlat acısından kurtulmanın bir yoluydu bu. Artık onları yeni bir gözle görüyordum. Martılar pek cana yakın değildirler. Yine de bu soğuk görünüşlü yaratıkların kendilerini feda edişlerinde insanı duygulandıran bir şeyler vardı.

Ertesi gün yine dışarı çıkmadık. Bu kez martı hücumu olmadı, ortalık sakinleşmiş gibiydi, ama ne olur ne olmaz deyip evde kaldık. İyi ki de öyle yapmışız, çünkü o gün akşamüstü bir felaket oldu.

Ortalığın sakin olmasına güvenen 4 numaradaki gitarist abim, tepelerde gezintiye çıktığı sırada martıların hücumuna uğrayarak uçurumdan aşağı düşmüş. Onu bulduklarında bir bacağı ve bir kolu kırılmış, şakağında kocaman bir yara açılmıştı. Günlerce ateşler içinde yattı, işin en kötüsü de çok uzun bir süre gitar çalamayacak olmasıydı.

Bu olay hepimizde büyük bir üzüntüye yol açtı. Martıların işi çok abarttığını düşünenler çoğalmaya başladı.

Kimse pek gerekmedikçe gündüz dışarı çıkmıyor, mecbur kalıp çıktıklarında da kafalarına geçirecek birer tencere ya da tava alıyorlardı ellerine.

Bir iki gün sonra Başkan Köpekbalığı'nın savaş planları ortaya çıktı. Adamları martı kıyısını gören bir yere siper hazırladılar.

Başkan'ın adamları bu sipere kavuşunca, mermilerini bir kez daha martılar üzerine boşaltmakta gecikmediler. Bir sabah ada cayır cayır ateşlenen silahların sesleriyle çınlamaya başladı. Belli ki geceden sipere gizlice saklanmışlar, sabahın ilk ışıklarıyla birlikte de savaşı başlatmışlardı. Sonradan öğrendiğimize göre bu kez bazı adalılar da ateş ediyordu. Yavaş yavaş adalılar da martılardan nefret etmeye başlıyorlardı.

Saldırı akşama kadar sürdü, karanlık çökünce herkes evine gitti.

Başkan'ın durmadan söylediği, şiddetin ancak daha büyük bir şiddetle önleneceği fikrini bazı adalılar da desteklemeye başlamıştı.

Olaylar artık çığırından çıktığı ve gerçek bir savaş halini aldığı için yapabileceğimiz pek bir şey kalmamıştı.

Hayret edilecek bir şey ama ertesi gün hiçbir şey olmadı. Sabaha karşı endişeyle bir martı hücumu bekleyen bizler, pencere başında öyle kalakaldık. Bir sessizlik vardı. Belki de Başkan Köpekbalığı'nın yöntemleri başarılı olmuş ve martıları ürkütmüştü.

Ertesi gün de bir şey olmadı, daha ertesi gün ve ondan sonraki birkaç gün de.

Adaya yeni gelen biri, o güzelim ağaçları, yeşillikler arasında kaybolup gitmiş evleri ve zümrüt koylarıyla adayı yine bir yeryüzü cenneti, bir barış limanı sanabilirdi.

İnsanlar yavaş yavaş dışarı çıkmaya, günlük hayatın tatlı ritmine kendilerini kaptırmaya başladılar. Arada bir uzaktan göz attığımız kıyıda martılar sakin sakin yumurtalarını bekliyor, bazıları denize dalıp çıkarak avlanıyordu.

Galiba savaş sona ermişti.

Annem bu sakinlikten yararlanarak vapura verdiği mektupla yeni camlar sipariş etti.

Tüm komşularımız birbirine yardım ederek evlerini tamir etti; akşamları yine taflan, ıtır, yasemin kokuları arasında yemeklerimizi yemeye başladık. Gitarist abimi sık sık ziyaret ettik, ona neşeli fıkralar anlatıp üzüntüsünü biraz hafifletmeye çalıştık. Başkan ve torunlarını da hiç görmedik. Acaba, kız torunu o gece bana ne söylemeye çalışmıştı?

Bu sakin günler böylece sürüp gitti, ta ki ada, martı hücumunda, ilk kaybını verene kadar.

14 numaralı evde tek başına yaşayan, sakin bir amca vardı. Hiçbirimizle fazla ilişki kurmaz, her sabah erkenden sandalına atladığı gibi balığa çıkar, geceden serdiği ağları toplardı.

Elinden çok güzel marangozluk işi gelir, beceremediğimiz tamirat işlerinde bize seve seve yardım ederdi. Daha önce bir marangoz atölyesi olduğunu ve sonra gelip bu adaya yerleştiğini duymuştuk.

İşte bu komşumuz bir sabah erkenden sandalına atlayıp denize açıldığında martıların saldırısına uğramış. Ben görmedim ama olayı kıyıdan dehşet içinde seyredenlerin anlattığına göre yüzlerce martı, sandaldaki savunmasız amcanın başına üşüşmüş, korkunç çığlıklar atarak onu gagalamaya başlamış. Amcanın başının kan içinde kaldığı, kıyıdan bile görülebiliyormuş.

Bir süre sonra amca dengesini kaybedip suya düşmüş ve bir süre sonra suyun üstünde görünmez olmuş.

İşte sevgili marangoz amcamızı böyle kaybettik.

Bu olaydan sonra martıların ne kadar vahşi olabileceğini anladım. Savaş başladığında artık savaşı başlatanların değil masum insanların da zarar görebileceğini fark etmiştim.

Martıların marangoza yaptıkları korkunç saldırı hepimizi gözyaşlarına boğmuştu. Komşular, "Kahrolsun bu martılar, zavallı adamdan ne istediler!" diye fısıldaşıyorlardı.

Başkan ve adamları sessizce olayları izledi. Bizim ağzımızı bıçak açmıyordu, çünkü ne diyeceğimizi bilemiyorduk. Herkesteki hüznün ve martılara duyulan nefretin farkındaydık. Bu durumda hiç kimse çıkıp da, "Ama martılara hücumu biz başlattık. Onlar da karşılık verdiler, suçlu olan biziz!" diyemezdi.

Savaşı kimin başlattığı, kimin haklı olduğu gibi

sorular bütün anlamını yitirmişti. Herkes intikam istiyordu.

Korku nefreti, nefret korkuyu besliyordu. Benim de kafam karışmıştı, çok üzgündüm ama şunu biliyordum ki, asıl suçlu martılar değil Başkan'dı, martıları o azdırmıştı.

Düşündüklerimi söylememeli, susmalıydım çünkü herkes korkunç saydığı martıları yok etme çareleri düşünüyor, intikam için yanıp tutuşuyordu şimdi. Ama bu çareyi bulmak kolay değildi.

Martılar yılmamış, şiddet karşısında pes etmemiş ve her fırsatta karşılık vermişti. Bu durumda yapılacak her yeni hücum onları daha çok tahrik edecek, adadaki hayatı çekilmez hale getirecekti.

Çaresizlik herkesin elini kolunu bağlıyordu. Kafalarına geçirdikleri tencerelerle hızlı hızlı yürüyen, arada bir bu tencereleri bir miğfer gibi kenarından tutarak başlarını havaya kaldıran, korku içinde martıların gelip gelmediğini kollayan adalılar için hayat çekilmez olmuştu. Ama itiraf etmem gerekirse, ben kocaman amcaları, teyzeleri böyle görünce çok keyifleniyor, gülmemek için kendimi zor tutuyordum.

Kıyıya toplanan insanlar, denize dalıp çıkan, havada pike yapan martıları nefret dolu gözlerle izliyordu. Geceleri, fısır fısır martıları yok etme planları konuşuluyordu. Neler yoktu ki bu planlar arasında: martı kıyısını yakmaktan tutun da, ordu birliklerinden yardım istemeye kadar çeşit çeşit fikir.

Oysa dayım ve annem martıları hiçbir zaman suçlamıyor, işin nasıl başladığını unutmuyorlardı ama ben marangoz amcayı da aklımdan çıkaramıyordum. Martıların vahşeti içimde bir şeyleri kırmıştı sanki. Tamam, savaşı onlar başlatmamıştı ama bu durumla da yaşanmazdı ki.

Keşke bunların hiçbiri olmasaydı.

Ne yapayım sevgili dayıcım, ben senin kadar kararlı ve güçlü olamamıştım o sıralarda. Topluluktan bu kadar ayrı düşünmeye, bu kadar tek başıma kalmaya cesaretim yoktu. Sen her zamanki gibi haklıydın, doğruları cesaretle savunmak, ileride daha az zarar görmek için başvurulması gereken tek yoldu ama şimdi itiraf edebilirim ki martıların vahşeti beni de ürkütmüştü.

Gitarist abimizin başına gelenler, zavallı marangoz amcamızı öldürmeleri, içimde onlara karşı biraz bile sempati bırakmamıştı.

Adalıların martı nefreti ve onlardan kurtulma çaresi araması Başkan'ı çok memnun etmişti. Çünkü istediği sonucu almış, kendi düşmanını ortak düşman haline dönüştürmüştü.

Bu düşüncelerini, evinde yapılan –çünkü artık martıların hücumuna uğramamak için açık havada toplanamıyorduk– bir toplantıda açıkladı: Martılarla mücadelede yepyeni bir taktik denenmeliydi. Savaşın birinci kuralı, düşmanın karşısına başka düşman güçleri çıkarmak ve onları birbirine düşürmekti.

Bu dahice fikir (!) komşularımız tarafından alkışlandıktan sonra, Başkan Köpekbalığı, müthiş savaş planını açıkladı: Adaya tilkiler getirilecekti.

Tilkiler martı yumurtalarını çalar, onları yer ve böylece martı nüfusunun azalmasını sağlayabilirdi. Adada hiç tilki bulunmaması, martıların bu kadar çoğalmasına neden olmuştu.

Adalılar ise kendilerini tehlikeye atmadan, bu iki türü birbirine karşı çarpıştıracak ve düşmanı yok edecekti.

Başkan'ın bu sözleri uzun alkışlarla, bravo sesleriyle karşılandı. Adalılar uzun zamandan beri ilk kez rahat bir nefes almış, hiç olmazsa gelecekle ilgili bir umuda kapılmışlardı. Herkes gelecek tilkileri kurtarıcı gibi görüyordu. Vahşi martıların kurbanı olan zavallı marangoz amcanın intikamını tilkiler alacaktı.

Artık adalılar tarafından iyice arabozucu olarak damgalanan dayımın "Ama ekolojik denge..." falan diye söylenmesini kimse dinlemedi, birkaç kişi onu düşmanca gözlerle süzdü.

Toplantının sonunda Başkan Köpekbalığı mağrur bir edayla, "Tilkileri nasıl temin edeceğimize gelince... onu bana bırakın sevgili arkadaşlarım," dedi. "Kararınızın bu yönde olacağını tahmin ettiğim için uydu telefonuyla on erkek, on dişi tilki ısmarladım bile. Kararlı tutumunuz sayesinde adamızın bu beladan kurtulacağına inancım tamdır. Hepinizin adaseverliğiyle gurur duyuyorum. Yaşasın adamız, kahrolsun martılar!"

Kalabalık bir yandan bu sözleri alkışlar, bir yandan da, "Kahrolsun martılar, kahrolsun martılar!" diye haykırırken usulca oradan ayrılıyorduk ki; Başkan'ın kız torunu hızla kulağıma bir şeyler fısıldadı. "Onları kurtarmalısın. Dilsiz'i izle." Dediklerinden hiçbir şey anlayamadan yanından uzaklaştım.

Artık martıların düşman olduğunu düşünenler çoğunluktaydı, biz azınlıkta kalmıştık. Yavaş yavaş komşularımızdan ürkmeye başlamıştık.

ON DÖRT

Dayıcım, senin şaşkına dönmüş, komşularımıza, "Siz deli misiniz?" diye bağırdığın günü hiç unutmayacağım. Öfkeyle ellerini iki yana açmış, herkesin gözünün içine tek tek bakıyor ve haykırarak soruyordun: "Siz deli misiniz, deli misiniz yahu?!"

Daha önce hiç böyle sinirlendiğini görmemiştim. Galiba o gün adamızı gerçekten kaybettiğimizi anlamıştın. Biz ise hâlâ bir ada kaybetmenin ne demek olduğunu bilmiyorduk.

Halkın çevresinde olup bitenlerin farkına varmayışına gösterdiğin tepki, bana anlattığın dağa kaçan adam hikâyesini getirdi aklıma.

Adamı dağa doğru koşarken görenler, "Aslandan mı kaçıyorsun?" diye sormuşlar. O, "Hayır!" demiş.

*"Kaplandan, ejderhadan mı kaçıyorsun?" diye sor-
muşlar. O yine, "Hayır," demiş ve eklemiş, "ben as-
landan kaplandan korkmam."*

*"Peki o zaman neden kaçıyorsun?" diye sormuş-
lar. "Aptallardan kaçıyorum," demiş adam, "çünkü
onlarla baş edemem."*

Ada halkı senin öfkeli soruların karşısında susu-
yordu, zaten ne diyebilirlerdi ki... Son günlerde
başlarına gelenlerden şaşkına dönmüşlerdi.

"Biraz aklınızı kullansanıza arkadaşlar," diye
devam etmiştin. "Martılar bizim düşmanımız mıy-
dı? Bunca yıldır aramızda en ufak bir olay çıktı mı?
Bu adam adamıza gelinceye kadar hiç sorun yaşa-
dınız mı?"

Birkaç kişi "hayır" anlamında başını salladı.

Oysa ben birçoğunun senin yüzüne karşı bir şey
söylemediğini ama arkandan konuştuğunu biliyor-
dum.

"Başımıza martı avukatı kesildi!"

"Martıdan dost olur mu hiç?"

"Bu da aklı sıra adalılara hocalık yapacak."

"Zavallı marangozu nasıl öldürdüler, görmedi-
niz mi?"

"Bu iğrenç, vahşi yaratıkları savunacak aklınca!"

"Bunca hasar, yaralanma..."

Seni savunmaya çalışıyordum ama biliyordum ki kimse dediğinden geri dönmeyecekti.

Korku akıllarını öylesine başlarından almıştı ki laf anlatmak mümkün değildi. Hepsi umudunu tilkilere bağlamıştı, onları kurtarıcı olarak görüyordu. Sözümona tilkiler gelecek, martı yumurtalarını yiyecek, bu vahşi yaratıklar da yok olacaktı.

Adalılar o haftayı heyecan içinde, gelecek vapuru bekleyerek geçirdi. Martılar yine kendi kıyılarında yumurtalarını bekliyor, uçuşup duruyor ama insanlara zarar vermiyordu.

Adalılar bir süre sonra başlarına tencere tava geçirmekten vazgeçti. Doktorumuzun özenli bakımı sonunda, gitarist abim, beklediğimizden çabuk iyileşti. Gitarını eline almasa bile, flütçü abim sık sık evine gidip ona parçalar çalıyordu.

O günlerde dikkatimi çeken bir şey oldu. Dilsiz arkadaşım her zamankinden farklı davranıyordu. Ceketinin içinde bir şeyler saklıyor gibiydi, telaşlı telaşlı yürüyor, arada bir çevreyi kuşkulu gözlerle süzüyordu. Aklıma kızın söyledikleri geldi. "Dilsiz'i izle," demişti.

Ben çam fıstıklarının orada, daha yüksekteydim. Dolayısıyla beni görememişti. Merakla ve sessizce peşine takıldım. Arkadaşım bakkalın arkasında kayboldu; bir süre sonra ortaya çıktığında artık bir şey saklamıyor, elini kolunu rahatça sallıyordu. O uzaklaştıktan sonra dükkânın arkasına gittim. Orada büyük bir tavuk kümesi vardı. Bakkaldan, bu kümeste yetiştirdiği tavukları ve yumurtaları satın alırdık. Arkadaşımın oraya ne saklamış olabileceğini merak ettim. Uzun süre baktım, ortada olağandışı bir durum görünmüyordu. Tavuklar kümesin içinde dolaşıyor, gıdaklıyor, gagalarıyla yemleri didikliyordu. Ama uzun süre baktıktan sonra ilgilendiklerinin sadece yem olmadığının farkına vardım.

Birkaç yumurtanın başına toplanmışlardı. Yumurtaların değişik biçimi dikkatimi çekti. Daha yuvarlak ve daha beyazlardı sanki. Sonra birden, arkadaşımın ne yapmak istediğini anladım.

Gözümün önüne, martı kıyımı yapıldığı gün yere eğilip kalkması geldi. O zaman bu hareketine hiçbir anlam verememiştim ama şimdi anlıyordum ki arkadaşım yumurtaları kurtarmaya çalışıyor, onları gizli gizli kümese taşıyor ve tavukların altına yerleştiriyordu. Peki Başkan'ın torunu bunları nereden biliyordu? Yoksa arkadaşıma yardım mı etmişti?

Çok şaşırmış ve sevinmiştim. Ben niye düşünemedim bunu diye hayıflandım önce sonra da aklıma bir soru takıldı: Acaba tavuklar martı yumurtalarını kabul ediyor muydu? Samanların arasında gördüğüm yumurtaların üstünde hiçbir tavuk yoktu ama oturan bazı tavukların altında ne olduğunu göremiyordum.

Kümese sadece arkadaşım girip çıktığı, yumurtaları o topladığı için tavukları benden daha iyi tanıyordu elbette. Belki de gizli kurtarma planı işe yarıyordu; kim bilir.

"Bravo be canım arkadaşım!" dedim kendi kendime. "Ne akıllıymışsın!"

Keşfimi anneme ve dayıma anlatmak için yanıp tutuşuyordum.

Evet, beklendiği gibi sonunda büyük vapur adaya bir kafes getirdi ve motordan çıkarılan kafesin içinde, birbirine dolanarak dönüp duran tilkileri gören Başkan ve ada halkı sevinçle doldu. Sanki adaya tilkiler değil, kurtarıcı melekler gelmişti. Herkes neşeyle el çırptı.

Beyaz giysiler içindeki Başkan, her zamankinden daha fazla köpekbalığına benzeyen yüzü ve birbirine yakın gözleriyle bir zafer nutku patlattı. Dediğine göre çok yakında adamızın her yeri güvenli bir hale gelecek, halkımız düşmanlardan kurtulacaktı.

Başkan'ın konuşması sık sık alkışlarla kesildi. Sonra törenle kafesin kapısı açıldı. Deniz yolculuğundan sersemlemiş halde karaya indirilen tilkiler önce bir an durakladı sonra hepsi birden yıldırım gibi ormana doğru koşup gözden kayboldu. Adadaki canlılara bir tür daha eklenmişti.

Tilkiler koca kuyruklarını sallayarak koşarken, Başkan kendinden son derece hoşnut bir biçimde gülümsemeye, halk ise kurtarıcı kahramanları alkışlamaya devam ediyordu.

Törenden sonra sessizce dağılıp evlerimize gittik. Başkan'ın saldırıları bittiğine göre adadaki şiddet dönemi sona ermiş demekti. Her şey sessizliğe gömülmüş gibiydi.

Görünüşte değişen bir şey olmamıştı, gündelik yaşam eskiden olduğu gibi devam ediyordu; ama adanın havasında, neredeyse elle tutulur bir farklılık olmuştu.

Eski neşeden, dostluktan, arkadaşlıktan eser kalmamıştı.

Benim de canım hiçbir şey yapmak istemiyor, elime bir kitap alıyor, daha ilk sayfasını okuyamadan fırlatıp atıyordum bir kenara. Annem de endişeli gözlerle beni süzüyor ama hiçbir şey söylemiyordu.

O sıkıcı günleri renklendiren çok önemli iki olay oldu. İlki, arada bir uğrayıp gizlice neler olup bittiğini gözlediğim kümeste, iki martı yavrusunun ortaya çıkmasıydı. Özellikle arkadaşıma görünmeden izliyordum kümesi. Çünkü bu onun sırrı olsun, kendini hazır hissettiğinde benimle paylaşsın istiyordum. Demek ki arkadaşım başarmıştı bu işi, iki yavrunun canını kurtarmıştı. Hiçbirimizin başaramadığını, herkesin sakat, dilsiz diye önemsemediği bir çocuk başarmıştı.

İkinci olaysa, beni daha çok şaşırtmıştı. Yine kümesi gizlice izlediğim bir gün, sırtıma yumuşak, sıcacık bir el dokundu. Korkuyla dönüp baktığımda, Başkan'ın kız torununu gördüm.

"Ne tatlılar değil mi?" diye gülümseyerek sordu kız.

"Evet, benim arkadaşım başardı bunu. Hani şu senin yamuk yumuk dediğin arkadaşım." Beni dinlemiyor gibiydi.

"Bence daha fazlasını da başarabiliriz."

"Nasıl? Senin deden onları her gün öldürürken, martıları nasıl kurtaracağız?"

"Lütfen böyle şeyler söyleme. Ne kadar üzüldüğümü bilmiyorsun." Bunu söyledikten sonra kızın gözleri dolmuştu. Pişman olmuştum dediklerime. Bize yardım etmek, bir şeyler yapmak istiyordu sadece. Hem artık gözüme hiç de gıcık gelmiyordu. Hatta çok sevimli olduğunu düşünmeye başlamıştım.

"Belki, daha fazla yumurta kaçırabiliriz buraya? Ne dersin?"

"Evet olabilir ama ben yapamam, evden çıkmama izin yok. Buraya gizlice geldim. Siz bir şeyler yapabilirsiniz."

"O zaman sen de evden bize yardım edersin."

"Nasıl?"

"Belki dedenle konuşabilirsin, onu ikna edebilirsin, bu kıyımı durdurmasını sağlayabilirsin."

"Beni dinlemez, o çok sert. Hayır, konuşamam onunla."

"Hiç denedin mi?"

"Korkuyorum."

"Ben de bu adanın yok olmasından korkuyorum."

Kız yavaşça başını eğerek "Özür dilerim, gitmeliyim," dedi ve kalkıp yürümeye başladı. Ardından bağırarak "Hey bekle. Dilsiz'in bunu yaptığını nasıl keşfettin?" diye sordum. Ama o hiçbir şey demedi ve yavaşça bana dönüp gülümsedi, sonra hızla evine doğru koşup gözden kayboldu.

ON BEŞ

Bundan sonraki uzun bir süre, boş bir kitap sayfası kadar olaysız geçti.

ON ALTI

Ta ki bir sabah, hepimiz, adanın dehşet günlerini hatırlatan bir kadın çığlığıyla uyanana kadar...

Sesin geldiği tarafa koşunca, insanların 22 numaralı evin önünde toplanmaya başladığını gördük. Oraya vardığımızda doktor, küçük bir pompa yardımıyla, o evde yaşayan yaşlı teyzenin bacağından kan çekiyordu.

Teyzeyi yılan sokmuştu.

Komşularımızın bir kısmı yılanı arıyordu. Sonunda onu dolabın altında kıstırıp öldürdüler. Cesur bir komşumuzun, elindeki sopanın ucuna takarak gösterdiği yılan, hepimizin yüreğine soğuk bir korku salacak kadar garip, rengârenk bir yaratıktı.

Renklerin canlılığı, nedense, yılanın çok zehirli olduğunu düşündürmüştü bana. Çok geçmeden yanılmadığım ortaya çıktı. Bu işi bilen amcalar, yılanın çok zehirli ve çok tehlikeli bir tür olduğunu açıkladılar.

Daha önce adada böyle olaylara alışık olmadığımızdan, hepimiz duyduğumuz haberle sarsıldık. Çünkü kapılarımız, pencerelerimiz açık, güvenlik içinde uyumaya alışıktık.

Sakin yaşamımızı tehlikeye sokacak hayvan türlerine, zehirli bitkilere rastlanmazdı burada. Daha doğrusu o güne kadar öyle sanıyorduk.

Demek ki artık yatmadan önce pikemizi açıp kontrol edecek, banyonun tavanını ve dolap altlarını gözden geçirecek, kendimizi güvende hissedebilmek için bir sürü önlem alarak yaşamak zorunda kalacaktık.

İyi ama nereden çıkmıştı bu rengârenk, zehirli, acayip yılan? Evin içine nasıl sokulmuştu? O gece kafam bu sorularla dolu, tedirgin, korkuyla uyudum.

Sabah serinliğinde annemden önce uyanıp terasa çıktığımda, uykunun hareketsiz bıraktığı bedenimi açmak için gerinirken başımı sağa çevirdim ve onu gördüm. Yarısı havaya dikilmiş, bana doğru tıslayan ve çatallı dilini tehditkâr bir ifadeyle oynatan, kızıl yeşil alacalı bir yılan. Bir gün önce gördüğümüzün neredeyse aynısı. Bu kadar korktuğum bir başka an hatırlamıyorum.

Yılan öne arkaya sallanıyor ve saldırmak üzere hazırlandığını sandığım kızgın hareketler yapıyordu. İçimden hızla kaçmak geliyordu ama sanki böyle karşı karşıya duruşumuzda gizli bir anlaşma varmış, kıpırdarsam o da kıpırdayacakmış gibi bir duygu içinde istediğimi yapamıyordum.

O anda bir mucize oldu. Yılanın, gövdesinin tam ortasına inen bir darbeyle yere serildiğini, bir parçasının ezildiğini gördüm. Aynı anda, yanımda duran, elinde büyük bir kürekle yılana vuran annemi fark ettim.

Yılana üst üste kürek darbeleri indiren, bu kadın benim o kırılgan, ince, narin annem miydi? Yılana gösterdiği öfkenin şiddeti, bana olan sevgisinin büyüklüğündendi. Yılana vurdukça, benim için ne kadar korktuğunu anlamıştım.

Neden sonra küreği elinden güçlükle aldığımda, birden patlayan tropik bir yağmur gibi omuzları sarsılarak ağlamaya başladı, bir canlıyı öldürmek zorunda kalmak onu da benim kadar üzmüştü. Bana sıkıca sarıldı, eve girdik ama ev artık gözü-

me güvenli bir yer gibi görünmü-
yordu, bahçe de öyle. Her an
her yerden bir tehlike çıka-
cak gibi geliyordu.

Adamızı yılanlar basmıştı ve
böyle bir sorunu nasıl çözeceğimi-
zi bilemiyorduk.

Evler yılan kaynıyordu, dok-
torun elinde yeterli serum ve
ilaç yoktu. Vapuru bek-
lemekten başka bir
çare göremiyorduk.
Kimileri vapura binip
bu lanetli adayı terk etmekten söz etmeye başla-
mıştı. Öfkeliydik ama kime öfkeli olduğumuzu bil-
miyorduk artık.

Başkan'ı uzun bir süre kimse görmedi. Torunlarını
merak ediyordum. Bir gün dayanamayıp evlerine
gittim. Ne olursa olsun, onlarla konuşup, adayı
kurtarmak için bir plan yapmak istiyordum. Dilsiz
ile bana yardım edeceklerine, birlikte adayı kur-
tarmak için bir şeyler yapabileceğimize emindim.

Beni görünce aceleyle terastan indiler ama
Başkan'ın adamlarının öne doğru atıldığını fark

edip hemen geri dönerek eve girdiler.

Aldığı onca önleme rağmen yılan tehlikesinin başladığı günden tam bir hafta sonra Başkan'ı da elinden yılan ısırdı.

Anlatıldığına göre, bahçe işleriyle uğraştığı sırada darbeyi almıştı. Çığlık üzerine hemen koşan adamları, tekneden alelacele getirdikleri birtakım pompalar, ilaçlar ve serumlarla Başkan'ı kurtarmayı başardılar. Günlerce ateşler içinde yatmasına, çok acı çekmesine rağmen hayati tehlikeyi atlatmıştı. Bu durum, özel teknesinde her ihtiyacı karşılayabilecek malzemeler bulundurduğunu ama elindeki ilaçları adalılar için kullanmadığını da ortaya çıkarmıştı.

Ne garip bir ada olmuştuk böyle. Başkan'ın adaya ilk gelişinde yaptığı toplantılar, ağaçlarımızı budamalar, dilsiz arkadaşıma atılan dayaklar, gördüğümüz hakaretler, martılara yapılan saldırılar unutulmuştu.

İnsanların çoğu bu olayların martıların hücumuyla başladığını hatırlıyordu. Sanki bir el gelmiş, bir gece ada halkı uykudayken herkesin hafızasını silmişti.

Hafıza dedim de şimdi aklıma geldi, ne kadar unutkanım değil mi? Tilkilere ne olduğunu sorduğunuzu duyabiliyorum. Hemen başlıyorum anlatmaya. Bilenlerin anlattıklarına ve evdeki ansiklopedilerin verdiği bilgilere göre bu tilkiler, martılar gibi toplu ve örgütlü hareket etmez, tek başlarına avlanarak yaşarlarmış. Önlerine çıkan her fırsatı değerlendirir, günde bir kilo kadar yemek yerlermiş. Bu yemi küçük havyanlar, tavuklar, yumurtalar, hatta böğürtlenler, çilekler oluştururmuş. Ha, bir de çok ürerlermiş, bir sürü yavruları olurmuş.

Adaya getirilmelerine neden olan martı yumurtası avcılığını yaptılar mı, buna biz şahit olmadık çünkü onları hiç görmedik. Belli ki o yumurtaları gizlice çalıyor, ana baba martıların bile bundan haberi olmadan yiyorlardı.

Tilkiler, o sırada çok konuşulmaya başlanmıştı. Başkan'ın evlere dağıttırdığı bir duyuru sonunda, bir akşamüstü yine çardak altında toplandığımızda bu durum gündeme geldi. Ada halkı yine birleştirilmiş masaların çevresine dizildi, yönetim kurulu yerini aldı. Bir tek benim yazar dayım toplantıya gelmemişti.

Başkan tiril tiril beyaz giysileri içinde her zamanki otoriter tavrıyla tam ortaya oturdu. Adaya ilk gelişindeki halinden tek farkı, sağ elindeki sargıydı. Müzisyenler de enstrümanlarını bırakıp masadaki yerlerini alınca, toplantı başladı.

Konuşmalar devam ederken ben oradaki ilk toplantımızı hatırladım. Her şey aynı gibi görünüyordu ama aslında ne kadar farklıydı. Komşular kuşkuyla birbirlerini süzüyorlardı. O sırada denizde uçmakta olan birkaç martıya da nefretle baktılar. Adalıların arasında ne eski güven kalmıştı ne de eski neşe. Herkesin yüzüne bir keder gölgesi çökmüştü.

Başkan Köpekbalığı'na göre, martılara karşı verilen mücadele başarılı olmuştu, şimdi aynı azimle yılan mücadelesinin de üstesinden gelinecekti. Adalıları kimse yıldıramazdı. Bu mücadeleyi engellemek isteyen bir iki kişi de, amaçlarını gerçekleştirememiş, halkın birlik ve beraberliğini bozamamışlardı. Burada dayımı, annemi ve beni kastettiği açıktı. Birkaç kişi bize ters ters baktı.

Başkan yılan mücadelesinde de gerekli önlemleri almış, bütün evlere yetecek kadar yılan kovucu ilaç ısmarlamıştı. Bu ilaçlar, iki gün sonraki vapurla gelecek, bütün evlere dağıtılacak, böylece evlere yılan girmesi önlenmiş olacaktı.

Ada halkı Başkan'larına minnet dolu gözlerle bakıyorlardı. Demek ki iki gün daha dişlerini sıkarlarsa, bu kızıl yeşil yılan belasından da kurtaracaktı Başkan onları. Ama herkes mutlu mutlu evlerine dağılırken, huzurlarını kaçıran bir olay oldu: Arkalardan, "Adayı neden yılan bastığını anlatmayacak mısınız sayın Başkan?" diyen alaycı bir ses yükseldi.

Dayım gelmişti! İyice zayıflamış bir halde orada dikilmiş ve önce Başkan'a, sonra bütün adalılara yıldırım gibi sorular yöneltmişti.

Adayı neden yılanlar basmıştı, bunca yıldır yoktu da bu yılanlar birdenbire nereden çıkmıştı, her eve yılan girmiş olması, adadaki yılanların yüzlerce misli artması nasıl açıklanabilirdi? Buna hangi doğa olayı neden olmuştu?

"Durumu siz mi açıklamayı tercih edersiniz, yoksa ben mi söyleyeyim?" diye sordu dayım.

Başkan söylenecek bir şey yok diye homurdanınca dayım toplantı masalarının tam ortasına doğru yürüyerek, "Bakın arkadaşlar," dedi, "olayların nasıl başladığını hatırlayın. Eski günlerinizi düşünün, bu adada bütün canlılar gibi martılarla da iyi geçindiğimiz o mutlu dönemi hatırlayın. Gölgeli ağaçlarımızın altında hiçbir korku duymadan huzurla yürüdüğümüz günleri..."

İfadesiz bakışlarla kendisini dinleyen adalıları bir süre süzdükten sonra devam etti:

"Hatırlamıyor musunuz bunları? Sonra bu adamın gelişi, ağaçlarımızın budanması, kurallar, yönetimler, evlere dağıtılan duyurular ve sonunda suçsuz martılara karşı başlatılan saldırı."

Bu arada, Başkan'ın en sadık adamı durumuna gelmiş olan 1 Numara'dan bir itiraz yükseldi: "Bu anlattıklarının yılanlarla ne ilgisi var?"

Ona şefkatli gözlerle bakıp, "Eski dostum, ilgisi var, hem de çok yakından var," diyen dayım, salondakilerin tamamına yönelerek konuşmasını sürdürdü: "Martıların sayısını azaltmak için adaya tilkiler getirdiniz; Başkan'ın teorilerine göre bir düşmanın karşısına başka bir düşman çıkarmak zorundaydınız. Tilkiler bir yandan yumurtaları yiyerek martı nüfusunu hızla azalttı, bir yandan da kendileri çoğaldı. Onlar çoğaldıkça martı azaldı ve sonuç bu oldu."

Bazı sabırsız ve sinirli büyükler kötü kötü bakarak, "Ne oldu?" diye bağırdılar.

"Arkadaşlar, anlamıyor musunuz, yılanlar, ekolojik dengeyi bozduğunuz için bu kadar arttı. Çünkü eskiden martılar yılanları avlıyordu. Bu yüzden adadaki yılan sayısı belli bir düzeyde kalıyordu. Hatta biz bu zehirli türden olanlara hiç rastlamıyorduk.

Tilkiler martıları azaltınca, yılanlar çoğaldı ve

işte böyle evlerinize kadar girmeye başladı. Yani düşman saydığınız martıların karşısına diktiğiniz tilkiler, hiç beklemediğiniz yepyeni bir tehlike yarattı."

Bir sessizlik oldu. Belli ki herkes, "Acaba doğru mu?" diye düşünüyordu. Noter amca ayağa kalkıp, "Arkadaşımız doğru söylüyor. Ekolojik dengeyle oynamak her zaman felaket getirir!" dedi.

Başkan'ın bu sözlere itiraz etmediğini, hatta başıyla onayladığını görünce şaşırmadık desem yalan olur. Nasıl olmuştu da Köpekbalığı, bu mantıklı sözlere kulak vermişti.

Başkan ayağa kalktı, "Arkadaşımızın doğru söylediğini kabul etmek zorundayız," dedi. "Biz kimseye haksızlık yapmayız. Martılara karşı mücadele etmemiz gerekliydi. Kimse buna karşı çıkmaya, haklı davamızı küçük göstermeye kalkmasın. Cennet adamız, bu vahşi yaratıklara teslim edilemezdi; hem biz bu kararları hep demokratik bir biçimde, oylama yaparak aldık, öyle değil mi arkadaşlar? Çoğunluğun kararıyla martılara saldırıldı. Ama ne yapalım, her mücadelede böyle beklenmedik sonuçlar ortaya çıkabilir. Duruma bakılır ve bunlara karşı da önlemler alınır."

Daha da alaycı bir ses tonuyla, "Peki, şimdi ne

Zülfü Livaneli

öneriyorsunuz sayın Başkan?" dedi dayım. "Şimdi de martı nüfusunu biraz artırmak için tilkilere karşı mı savaş açacağız? Elimize silah alıp tilki avına mı çıkacağız?"

Başkan en sert ve kararlı yüz ifadesini takınarak, "Hayır!" diye yanıtladı bu soruyu. "Bin kere hayır. Zafere ulaşmak üzereyken martı nüfusunu tekrar artıracak hiçbir şey yapmaya hakkımız yok. Onlar bu adanın ve hepimizin düşmanıdır."

Sesini iyice yükselterek devam etti: "Zavallı marangozu nasıl öldürdüklerini henüz unutmadık. Unuttuk mu arkadaşlar ha, unuttuk mu?"

Kalabalıktan bazıları, "Hayır, unutmadık!" diye bağırdı.

Başkan sesini yumuşatarak "Ama sevgili komşularım," dedi, "durum böyle diye elimizi kolumuzu bağlayıp oturmayacağız elbette. İlk iş olarak şu vapuru bekleyelim ve ilaçları alıp evlerimizi yılan tehdidinden kurtaralım."

Bu tartışmalar sırasında gözüm martılara takıldı; sakin sakin gökyüzünde süzülüyorlardı. Ada değişmemişti; değişen bizdik.

Annem o yılanı öldürdükten sonra sessizleşmiş, içine kapanmıştı. Herhalde yılanı öldürdüğü için kendini affedemiyordu. Ertesi gün annemi evde tek başına bıraktım ve adada yürüyüşe çıktım. Belki biraz tek başına kalırsa iyileşirdi.

Düşünceli düşünceli, dayımı bulurum umuduyla Mor Su'ya gittim, yoktu; sonra dolaşa dolaşa dev fıstık çamlarının insana güven veren serinliğine sığındım.

Yazar dayım orada da yoktu ama dilsiz arkadaşım, bir çamın dibinde uykuya dalmıştı. Sessizce yanına oturdum. Arkadaşım sanki adada martı ya da yılan tehlikesi yokmuş gibi huzurlu görünüyordu.

Konuşamayan, çok az kişiyle iletişim kurabilen, insanlarla göz göze bile gelmeyen arkadaşım, hiçbir büyüğün yapamadığını yapıyor, tek başına martıların hayatlarını kurtarmaya devam ediyordu. Onun varlığı bana umut veriyor belki bir gün adamızın Başkan'dan kurtulabileceğinin hayalini kurduruyordu.

Arkadaşım bir süre sonra uyandı; hemen doğruldu, gözlerini ovuşturdu, özür diler gibi bir ifade takındı.

"O kadar derin uyuyordun ki," dedim, "uyandırmadım."

Bana öyle bir gülümseyip elimi tuttu ki, onun

da benimle aynı umudu paylaştığını anladım. Belki de adayı büyükler değil, biz, Son Ada'nın çocukları kurtaracaktık. Sonra yavru martılar aklıma geldi. Artık daha fazla yavruları bildiğimi saklayamadım. Onun yanında olduğumu anlamasını istiyordum.

"Seninkiler nasıl?" dedim.

Her zamanki gibi sessiz kaldı, korkmuş gibiydi.

"Hani," dedim, "kümesteki martılar. O iki martı yavrusundan başka da kurtardığın oldu mu?"

Yine gülümseyip kafasını evet anlamında salladı. Bir an karar veremezmiş gibi yere baktı. Sonra hızla kolumdan tuttu ve birlikte yamaçtan aşağı seğirterek koşmaya başladık. Belli ki yavruları göstermeye karar vermişti. Koşarken uzun zamandır hiç bu kadar mutlu olmadığımı düşündüm.

ON YEDİ

Siz yılanları öldürmek için kullanılan ilacın kokusunu bilir misiniz? Bilmiyorsanız, ne desem boş. O gün gemiyle gelen ilacın kokusu tek kelimeyle iğrençti. Evlerin bahçesine, terasların altlarına, balkon kapılarının girişlerine konulan bu ilacın yaydığı kokuyu anlatmak için kelimeler yetmez.

Varillerle getirilip adanın birçok yerine konulan ilaç belki yılanları kaçırıyordu ama artık eve girmek bizim için işkence haline gelmişti. O güzelim ıtırların, yaseminlerin kokusu bile bu iğrençliği bastırmaya yetmiyordu. Evlerin her tarafına serptiğimiz kolonyalar, teyzelerin kullandıkları en ağır parfümler bile işe yaramıyordu.

Martı saldırılarından korkup başına tencere geçiren, yılanlardan korkup o sıcakta ayaklarında koca çizmelerle dolaşan zavallı adalıların, kokudan kurtulmak için burunlarına birer mandal mı takmaları gerekiyordu acaba?

Ada halkı sonunda yönetim kuruluna başvurdu. Yani derdini Başkan'a anlattı, çünkü yönetim kurulu demek, Başkan demekti artık.

Başkan yüzünde kararlı bir ifadeyle, her şeyin bir çaresinin bulunacağını, adayı yılan derdinden kurtarmak için memleketten bir uzman çağrıldığını, bütün sorunlarımızı çözeceğini söyledi.

Bunu duyan halk büyük bir heyecana kapıldı ve bu değerli uzmanın yolunu gözler oldu. Yalnız, bu uzman bedava çalışmıyordu elbette. Hatta epey pahalı bir ücretle çalıştığı bile söylenebilirdi.

Uzman adaya ayak basar basmaz verilmek üzere, her evin belli bir para ödemesi gerekiyordu. Bazı komşularımız, "Ne yapacağını görsek de ona göre para ödesek," dedi ama diğerleri bu uyarıları yapanlara ters ters baktı.

Annem sesini çıkarmadı çünkü adaya dair tüm umudunu yitirmişti. Sürekli evi satmaktan bahseder olmuştu. Bunu duyduğumda dehşete kapılmıştım. Ona her defasında pes etmememiz gerektiğini, adamızı kurtaracağımızı anlatıyordum. Fakat benim umudumu kaybetmememi sağlayan, dilsiz arkadaşım ile aramızdaki sırrı ve Başkan'ın torunuyla yaptığım konuşmayı bir türlü açıklayamıyordum.

O sıkıntılı günlerin birinde canım arkadaşım beni çok şaşırtarak, kapımızı çaldı. Sonra elimden tutarak dışarıya çekti, bir yere götürmeye başladı. İlk defa evimize geliyordu. Tüm adalıların tersine o iyi yönde değişiyor, gelişiyordu. Daha çok insan içine çıkıyor, ümitsizliğe kapılmadan, sıkılmadan martılarla ilgileniyordu.

Arkadaşımın beni çeke çeke bakkalın arkasındaki kümese götürdüğünü görünce, herhalde martılarını göstermek istiyor diye düşündüm.

Gerçekten de öyle oldu ama dahası varmış meğer. Arkadaşım kümesin kapısını açtı, biraz büyümüş iki martı yavrusunu eline aldı, kümesin kapısını özenle kapadı ve biz yine yola koyulduk.

Fıstık çamlarının bittiği yerin ucundaki uçurumun başına geldiğimizde, elindeki martılardan birini bana verdi. Sanki bir bebek tutuyormuş gibi acemi bir tavırla, kuşu iki elimle kavradım. Sıcacıktı ve hızlı kalp atışlarını duyabiliyordum.

Arkadaşım yüzüme baktı ve elindeki yavruyu yavaşça boşluğa bıraktı. Yavru kuş neye uğradığını şaşırdı, uçmakta güçlük çekiyordu. Kanatlarını acemice çırparak, birkaç metre aşağıdaki bir kayaya kondu. Yanı başında durduğumuz uçurum çok yüksekti. Aşağıda dalgaların kayalara çarpıp köpük köpük patladığını görüyorduk. Ayaklarımın ıslak otlarda kaydığını hissettim, korkudan bacaklarım titredi, biraz geri çekildim.

Arkadaşım ise büyük bir neşeyle uçurumun tam kenarında durmaya ve uçmaya çalışan yavruyu hayranlıkla seyretmeye devam ediyordu. Yüzünde daha önce böyle bir mutluluk ifadesi görmemiştim hiç.

Arkadaşım bana işaret edince ben de elimdeki sıcak gövdeyi boşluğa bıraktım. O da aynı biçimde acemi kanat çırpışlarıyla bir kayaya kondu. Sonra ikisi de o kayadan ayrılıp, büyük bir çaba harcayarak birkaç metre daha uçtu, biraz bekleyip aynı hareketi tekrarladı.

Keşke Başkan'ın torunları da yanımızda olup bu güzelliği görebilselerdi. Ya da keşke Başkan'la konuşup onu buraya getirebilselerdi. Belki her şey değişirdi.

Arkadaşıma baktım, masum yüzüne, müthiş aydınlık bir gülümseme yayılmıştı. O sırada, diğer martılar bu iki yavruyu fark edip geldi, onların uçuşlarına yardım etmek ister gibi çevrelerinde dönmeye başladı. Sevinç çığlıkları atıyorlar gibi geldi bana. Bu manzara arkadaşımı daha da sevindirdi, elini ağzına kapatarak gülüyor, sarsılıyor, sevincini dışa vurmak için olmadık tuhaf hareketler yapıyordu. Ben de bu komik mutluluk dansına katıldım ve ikimiz sonunda yorgunluktan ve gülmekten yere serildik.

Kuşları uçurma törenine beni davet ettiği için kendimle gurur duymuştum. Yavrulara hayat vermenin mutluluğunu yaşıyor, sevincini benimle paylaşarak çoğaltıyordu. Bu sevinci daha da çoğaltmalıydık ama nasıl?

Bu umutlu, güzel günün tek tatsızlığı, martı kıyısındaki tenhalığı görmek olmuştu. Eskiden beyaz kuşlarla tıklım tıklım dolu olan uzun kıyı, şimdi yer yer öbeklenmiş az sayıda martıyla hüzünlü görünüyordu. Belli ki, giderek çoğalan tilkiler, yumurtaları çala çala adada martı bırakmayacaktı!

ON SEKİZ

O ne karşılamaydı öyle. Bütün dertlerimizi sona erdirecek, bizi belalardan kurtaracak olan uzman gelecek diye, büyük bir karşılama töreni yapmıştık. Çünkü bir hafta boyunca, sabırsızlıkla kurtarıcısını bekleyen ada halkı birbirine ne hikâyeler anlatmıştı, ne hikâyeler.

Uzman, çekirge baskınına uğrayan bir tarım bölgesini, buğdayları yakmak zorunda kalmadan bu beladan kurtarmıştı.

Bir başka seferinde, taşan bir nehrin yatağını değiştirmek gibi bir mucize göstererek, korku içindeki bir kasabanın sel felaketini atlatmasını başarmıştı. Hatta daha ileri giderek, uzmanın hayvanlarla anlaşmak için özel bir dil geliştirdiğini, yıldırımları avucuna hapsettiğini söyleyenlere bile rastlanmıştı.

Dünyayla doğru dürüst bağlantısı olmayan bir adada, bu haberleri nereden duyuyor, nereden öğreniyorlardı aklım almıyordu bir türlü. Bazen bu büyükler de çocuk gibi oluyorlardı, hayal güçleri o kadar genişti ki, saçmaladıklarının farkına varmıyorlardı.

Başkan'ın bu karşılama töreninde hazır bulunmaması çok şaşırtıcıydı. Herhalde otoritesinin bozulmaması için gelmemişti. Belki de adalıların uzmana gösterdiği ilgiyi kıskanıyordu.

Uzmanın vapurdan inip, kıyıya gelmek için bindiği motor yaklaştıkça ayakta duran çok uzun bir adam silueti belirdi. Atı Rosinante yerine deniz motoruna binmiş bir Don Kişot gibiydi. Hani bilirsiniz ya, yel değirmenlerine tek başına savaş açan roman kahramanı Don Kişot. Babamın en sevdiği kitaplardan biridir.

Daha motor iskeleye tam yanaşmadan halkın alkışları başlamıştı. Bu büyüklerdeki alkış sevgisini de hiç kafam almıyor, her gördüklerini alkışlıyorlar.

Adam da bu sevgi gösterisini bir baş selamı ve hafif bir gülümsemeyle kabul etti.

Adamın herkese tepeden bakmasını sağlayan iki metrelik boyu, adada göstereceği mucizelerin de bir ön kanıtıymış gibi adalılar sevinç içindeydi. İşte sonunda gelmişti kurtarıcımız; dertlerimizi sona erdirecek olan uzun adam iskelemize ayak basmıştı.

Uzmanın etkili bir konuşma yapacağını sanıyorduk ama ne yazık ki o sessiz kalmayı tercih etti, el sıkışma töreni bittikten sonra Başkan adamlarıyla birlikte onu ziyarete gitti.

Uzman suskunluğunu, adada kaldığı bir hafta boyunca sürdürdü, ancak çok önemli gördüğü bir iki talimat konusunda ağzını açtı. Bu da kendisine duyulan saygının derinleşerek artmasına neden oldu.

Başkan'ın adamları uzmanın emrine girmiş gibiydi. Bize fazla zamanımızın olmadığını söylediler; o hafta herkesin, sıkı bir çalışma yaparak adanın çeşitli yerlerine birtakım uzun direkler dikmek zorunda olduğu bildirildi.

Direklerin nasıl dikileceği ve neye yarayacağı konusunda hiçbir fikrimiz yoktu ama bu durum ertesi sabah herkesin delice çalışmaya başlamasını engellemedi.

Adalılar ter içinde ormandan ağaç kesmeye, yontmaya, bu kütükleri oradan oraya taşımaya başladı.

Büyükler, içine birdenbire girdikleri çalışma temposuyla burunlarından ter damlarken, hoşnutsuzca birtakım sorular sormaya başladılar.

Bu sorular aniden yayıldı, herkes "Niye çalışıyoruz? Bütün bunlar ne işe yarayacak?" diyordu.

Uzman önce sorulanları duymazmış ya da cevap vermeye değmezmiş gibi davrandı ama sorgucuların çevresindeki kalabalığın büyüdüğünü ve işi bırakan bütün adalıların toplandığını görünce, "Leylekler!" dedi.

Sonra da arkasını dönüp uzaklaştı. Kimse de onu durdurmaya cesaret edemedi.

"Ne dedi?" diye sordu herkes birbirine.

"Ne dedi?"

"Galiba, leylekler dedi."

"Peki ne anlama geliyor bu?"

"Leylek, martı, yılan, tilki... Ne gibi bir ilişki olabilir ki aralarında?"

Komşularımız kendilerini bu oyuna iyice kaptırıp bulmacayı çözmeye çalışıyorlardı.

Sonunda bir amca, "Leylekler yılan avlar!" demeyi akıl edebildi.

"Eee?"

"Eeeesi var mı, adada leylek olsa yılan kalmaz."

"Peki uzman adaya leylek mi getirecek? Nasıl başaracak ki bunu?"

"Leylekleri anladık da bu direkleri niye dikiyoruz?"

O sırada söze karışan benim akıllı annem, "Leylekler için!" dedi. "Anlamıyor musunuz, leylekler direklerin tepesine yuva kurmaz mı, onlara yuva hazırlıyor."

"Doğru, bak bunu hiç düşünmedik. Peki, leylekleri nasıl getirecek buraya. Davetiye mi gönderecek?"

Noter amca, "Tamam, ben anladım durumu!" diyerek konuşmayı sonlandırdı. "Tam zamanında yetişmesi lazım, bir hafta içinde bütün direkleri dikmeliyiz diyorlar ya, bunun bir anlamı var. Her yıl bu mevsimde leylekler güneye göç etmiyor mu?"

"Ediyorlar, adanın üstünden uçup gidiyorlar."

"İşte galiba uzman onlara yuvalar hazırlayarak, bizim adamıza inmelerini sağlayacak."

Bu cevap üzerine, annem dışında herkesin yüzünün aydınlandığını gördüm. Sonunda çözülmüştü mesele. Adamıza leylekler gelecek, yılanları avlayacak ve bizi bu sorundan kurtaracaktı.

Gökyüzünden aşağı bakacak leyleklerin, orada kendileri için hazırlanmış birtakım yuvalar görerek aşağı ineceğine benim çocuk aklım bile yatmadı ama diğer itirazlarım gibi bunu da saklı tuttum. Ne de olsa küçüktüm, sözüm dinlenmezdi. Hem koskoca uzmanın bir bildiği vardı herhalde.

Sırrı çözen ada halkı daha büyük bir istekle çalışmaya ve leyleklere yer hazırlamaya koyuldu.

Dikilen uzun direklerin üstündeki platformlara, sarmaşıklardan yapılan yuvalar yerleştiriliyor, böylece bir anlamda belki de dünyanın ilk ve tek leylek oteli hazırlanıyordu.

Böyle söyleyince kulağa çılgınca geliyordu ama neden olmasındı ki, bu dünyada nice acayipliklere rastlanıyordu.

O akşam tam komşular bu işin olup olamayacağını konuşuyordular ki dayım pat diye çıkıp gelmesin mi!

"Yardımınıza ihtiyacım var," dedi. "Adalılar şimdi de uzman denilen sahtekârın peşine takıldılar. Direk dikilecekmiş de, sözümona leylekler gelip konacaklarmış da... Yine büyük bir hayal kırıklığına uğrayacaklar."

"Bence de öyle," dedi annem, "hayatımda bundan daha saçma bir proje duymadım. Ama herkes öyle bir inandı ki, uyarı filan dinleyecek halleri yok."

"Olsun," dedi dayım, "biz yine uyarımızı yapalım. Dinlemezlerse dinlemesinler ama zaten kısa süre sonra kimin haklı olduğu ortaya çıkar."

"Ama sen herkesi en başından beri sürekli uyarıyorsun yine de kimse başına gelenlerden ders almıyor. Acaba başka bir plan mı yapsak?" diye söze karıştım.

Dayım beni duymadı bile, kendini elindeki duyuruya iyiden iyiye kaptırmıştı. Bunu el yazısıyla çoğaltıp bütün evlere bırakmamızı istiyordu.

"Sevgili adalı komşularımız, acaba eski mutlu günlerimizi hatırlayanlar var mı aramızda? Hani o kimsenin kimseye karışmadığı, dostluk havası içinde yaşadığımız, müzisyen arkadaşlarımızın doğanın seslerine karışan flüt ve gitarını dinlediğimiz, sohbet ettiğimiz günler. Martılarla hiçbir sorunumuzun olmadığı huzur dönemi.

Başkan'ın gelişiyle adada bütün dengelerin bozulduğunu görmemek için kör olmak gerekir.

Ben haklı çıktım demek istemezdim ama bundan sonra söylediklerime kulak verirsiniz diye haklılığımı bir kez daha vurgulamak istiyorum.

Eğer bu adamın çılgın fikirlerine kulak vermeye devam ederseniz yeni felaketlerle karşılaşmamız kaçınılmazdır. Göreceksiniz ki bu uzman meselesi de başarısız olacak. Belki o gün bana hak verecek ve Başkan denilen adama karşı birleşmemizin ve onu adadan göndermemizin ne kadar önemli olduğunu anlayacaksınız.

Ben bu girişimi bir fırsat, kendim için de bir sınav olarak görüyorum. Önümüzdeki günlerde eğer

Başkan haklı çıkar da uzman bu işi başarabilirse, bütün söylediklerimi geri almaya ve Başkan'dan özür dilemeye hazırım. Ama eğer ben haklı çıkarsam lütfen aklımızı başımıza toplayalım ve bu adamın yeni çılgınlıklarına engel olmak için onu adamızdan kovalım."

Annemle dayım duyuruyu el yazısıyla çoğalttılar, sonra birer tomar kâğıt alarak evlere dağıttılar. Ne yazık ki adalılar duyuruları hiç umursamadan işlerine devam ettiler.

Bir hafta sonra yorucu çalışma bitmiş, adanın kuzey kıyısına bir sürü direk dikilmişti. Artık leyleklerin gelmesini beklemekten başka yapacak iş yoktu.

O gün gelecek olan vapuru gözleyen bir iki komşu, çok uzakta leylek olabilecek bazı kuşlar fark etmişti. Bu haber üzerine hepimiz adanın kuzey kıyısına toplandık.

Kuşlar yaklaştıkça gerçekten de bir leylek sürüsü olduklarını anladık. Geniş kanatları, ince gövdeleriyle iyice seçilir hale geldiklerinde adadaki heyecan doruktaydı. Leylekler yaklaştı, yaklaştı ve karşımızdaki ıssız adaya kondu.

Şaşkın şaşkın birbirimize baktık. Niye onlar için hazırlanmış yuvalara konmamışlardı acaba? Öteki adada bir süre dinlendikten sonra buraya gelirler miydi?

Derken büyükler arasında fısıltılar başladı. Herkes birbirinin kulağına, belki de insan kalabalığı gördükleri için gelmediklerini fısıldıyordu. Bunun üzerine sessizce dağıldık. Çam fıstıkları tepesine gidip, olup biteni oradan izlemeye başladık.

Leylekler karşı adada yürüyor, su içiyor, bazıları gagalarıyla kanatlarının altını kaşıyordu. Sonra yine havalandıklarını gördük. Gökyüzüne yükseldiler, adamızın tam üstüne geldiler. Başımızı kaldırmış, onların her hareketini izliyorduk. Adanın üstünde birkaç kere döndüler, bizim de başımız onlarla birlikte dönüyordu.

Hepimiz nefesimizi tutmuştuk. Tam boyunlarımız tutulmak üzereydi ki leyleklerin güneye doğru yollarına devam ettiklerini gördük.

Sürü halinde uçup gittiler, biz de arkalarından kırık kalplerle bakakaldık. Güney ufkunda gözden yitip gidene kadar seyrettik onları. Sonra hiçbir umudumuz kalmadı. Büyüklerin yüzlerine dikkatlice baktığımı hatırlıyorum; derin bir utanca gömülmüş, başlarını eğmişler birbirlerine bile bakamıyorlardı.

O sırada biri uzmanın nerede olduğunu sordu. Bunun üzerine herkes canlandı, uzmanı bulup hesap sormak istiyorlardı ama uzman ortalarda görünmüyordu. Köşe bucak o uzun adamı aramaya koyulduk, iskeleye kadar gittik.

Vapur demir almış gidiyordu, leylekleri gözlerken ne vapuru hatırlamıştık ne de uzmanı.

Acı haberi bakkal verdi: Biz gözlerimizi gökyüzüne dikmiş, aval aval bakınırken uzman motora binip vapura gitmişti ve vapur da demir almış ayrılıyordu adadan.

Uzman herhalde güvertede hem paralarını sayıyor hem de bir sonraki durakta göstereceği mucizeleri bekleyen saf insanları düşünüyordu. Kısacası, onu elimizden kaçırmıştık.

Hayal kırıklığından herkes bir köşeye çekilip somurttu. Birkaç gün sonra konuşmaya başlandığında ise tek bir konu vardı:

"Ben bu adamın bir şey beceremeyeceğini anlamıştım zaten!"

"Madem anladın, niye söylemedin?"

"Ne bileyim, öyle bir boy vardı ki adamda."

"Mesele boysa, devede de var!"

"Ne kadar safmışız yahu! Nasıl inandık adama!"

"Öyle deme... İnanmayıp da ne yapsaydık."

"Doğru söylüyorsun, kime inansaydık başka?"

"Evet, bizi kurtaracak, doğru yolu gösterecek kimse yok ki!"

"Başkan ne yapsın? Adam tek başına bir sürü sorunla uğraşıyor."

"Yok yok, Başkan'ın da ne dediği, ne yapacağı belli olmuyor. Ona da güvenilmiyor."

"Ama ondan başka hiç kimse bir şeyler yapmak için uğraşmıyor ki!"

"Haklısın, bir kötü sonuç alınınca herkes konuşup duruyor."

Kulak misafiri olduğum bu konuşulanlar, büyükleri anlama yolundaki bütün çabalarımın boşuna olduğunu gösteriyordu bana.

Büyükler hiç büyümeyecekler miydi?

ON DOKUZ

Dayıcım, büyük felaketten önceki son gecemizde seninle sadece kitaplardan konuştuğumuzu hatırlıyorum. Sanki ertesi sabah gidecekmişsin gibi davranıyor beni korkutuyordun.

O gece bana, "Belki bir daha seni göremem," diyerek Tolkien'den Mark Twain'e pek çok yazardan bahsetmiş, Küçük Prens, Peter Pan ve Alice gibi en sevdiğin roman kahramanlarını uzun uzun neşeyle anlatmış, hatta bazılarını canlandırmıştın. İyi bir insan olmam için bir sürü öğüt vermiştin.

Meğer biz bunları konuşurken Başkan, adamlarıyla birlikte sana vuracağı son darbeyi hazırlıyormuş.

Aslında o akşam Köpekbalığı'nın bir şeyler yapmak zorunda olduğunu hissetmiştik. Çünkü leylek fiyaskosundan ve uzmanın adadan kaçmasından sonra, Başkan kötü duruma düşmüştü. Adadaki otoritesi sarsılıyor, yılanlarla birlikte yaşamak zorunda kalan insanları kendisine inandırmakta güçlük çekiyordu.

Ertesi gün yeni bir duyuruyla, çardak altında toplanmıştık.

Başkan, uzmanın hepimizi dolandırmasından duyduğu derin üzüntüyü belirterek girmişti konuya. Bu devirde hiç kimseye güven olmuyordu, ahlak son derece bozulmuştu. Adalıların zararını kendi cebinden karşılamaya hazırdı. Bütün bu sözleri hiç inanmadan dinliyorduk.

Sonra Başkan yeni planını açıkladı: Mademki yılan meselesi çözülememişti, o zaman geri kalan tek çareye başvuracak ve adadaki tilki sayısını azaltacaktık. İlk zamanlarda adaya yararlı olan ve büyük hizmetleri dokunan tilkiler zamanla aşırı çoğaldığı için artık yarardan çok zarar veriyordu. Onların sayısını azaltmak ve böylece martı sayısını bir miktar çoğaltmak, adadaki dengeyi tekrar yerine getirebilir, yılan meselesinin çözümüne yardımcı olabilirdi.

Demek ki silahlar yine ortaya çıkacak, artık hepsi birer avcı haline dönüşmüş olan eskinin sevgi dolu adalıları, tilki avı düzenleyeceklerdi.

Başkan ertesi sabah tüm yetişkinlerin silahlı olarak iskelede buluşması emrini verdikten sonra, "Şimdi gelelim başka bir meseleye," dedi. "Arkadaşlar, bu uzak adayı güvenlik nedeniyle tercih ettiğimi, ülkeme hizmetle geçirdiğim onca yıldan sonra düşmanlardan uzak bir köşede yaşamak istediğimi hatırlıyorsunuz."

Birkaç kişi evet anlamında başını salladı. Dikkatle dinliyordum, acaba şimdi sözü nereye getirmek istiyordu.

"Ama ne yazık ki arkadaşlar, bunu başaramadım. Ülkenin düşmanları burada da karşıma çıktı."

Tam bu sırada annemin "Olamaz!" diye mırıldandığını duydum ve onun baktığı yöne çevirdim başımı. Başkan'ın iki adamı, ellerine kelepçe vurdukları dayımı çardak altına getiriyordu. Hemen yerimden fırladım, o tarafa gitmek istedim ama Başkan, "Otur evladım yerine. Söyleyeceklerimi dinleyin, sonra ne isterseniz yapın," dedi.

"Arkadaşlar, adanıza geldiğim günden sonra burada oturan ada halkının geçmişi hakkında bazı araştırmalar yaptırdım ve böylece sözde yazar olan arkadaşın müthiş sırrı ortaya çıktı. Bu kişi, devletimize karşı geldiği için hapse girmiş ve çıktıktan sonra adını değiştirerek adanıza sığınmış bir suçludur. Bu adam hepinizi kandırmıştır."

Bu sözler üzerine herkes dönüp dayıma baktı ama o hiçbir şey söylemeden Başkan'a gözlerini dikmiş, öylece duruyordu.

Gözyaşlarıma engel olamıyor, duyduklarıma inanamıyordum. Dayımın geçmişinde böyle bir olay olduğunu ben de bilmiyordum. Soran gözlerle anneme ve dayıma baktım. Annem elimi sıktı, "Lütfen dayını ya da beni suçlama canım, dayın kimseyi incitmedi, düşüncelerinden dolayı hapsedildi. Sen biraz daha büyüdüğünde sana bunu kendi anlatacaktı," dedi.

Başkan, dayımın bu gece gözaltında tutulacağını ve ertesi sabah motorla götürülerek, adalete teslim edileceğini açıkladı.

Şok o kadar büyüktü ki annem de, ben de ne yapacağımızı bilemiyorduk.

Başkan Köpekbalığı, ince ve zalim dudaklarıyla korkunç sözler söylüyordu. Adamızdaki başarısızlıkların sebebinin dayım olduğunu öne sürüyordu.

Ben daha fazla dayanamadım ve annemin elinden kurtulup "Söylediklerinize inanmıyorum," dedim. "Bu adada iyiliği dayım temsil ediyor, kötülüğü ise siz. Buradaki herkes buna tanıklık edebilir.

Adayı bu hale getiren o değil, sizsiniz. Siz gelene kadar bu adada..."

Tam bu sırada Köpekbalığı'nın adamları beni kıskıvrak yakalayıp sürüklemeye başladılar. Annem beni bırakmaları için adamlara yalvarıyordu. O sırada göz ucuyla, kız torununun Başkan'ın kulağına bir şeyler fısıldadığını gördüm. Köpekbalığı kararsızca bana baktıktan sonra tek bir hareketle adamlarına beni bırakmalarını emretti.

Ama ne yazık ki dayıcım seni, herkesin gözü önünde motora bindirdiler. Sen ufukta kaybolurken hiç kimse karşı çıkmadı. Herkese o kadar kızgındım ki, ne yapacağımı bilmiyordum.

Tahmin edeceğin gibi dayıcım, senin arkandan bir sürü söylenti çıktı. Adadaki her şeyin senin yüzünden ters gittiğini söylüyorlardı. Yani olup biten her şeyden sen sorumlu olmuştun. Bize artık kimse inanmazdı çünkü annemle ben de, "suçlu"nun ailesi olarak güvenilmezler sınıfına konulmuştuk. Bizimle pek az kişi konuşuyordu.

O kadar kısa sürede öyle çok dedikodu ortaya çıktı ki, artık duyduklarımız masala dönüşmeye başladı. Ben anlatılanların içinde en çok; motorla götürülürken Başkan'ın adamlarının elinden kurtulup kaçmayı başardığın masalına inanıyordum.

Başkan'ın adamları senin evini kilitledi dayıcım ve oraya girilmesini yasakladı. Ne var ki biraz geç kalmışlardı. Benim akıllı annem herhalde senden bir anı saklamak için evine gittiğinde, elinde bir defterle döndü; senin notlarından oluşan bir defterdi bu.

Biraz karışık görünüyordu. Galiba yazacağın kitapla ilgiliydi. Ama günlük yazıların çok ilgimi çekti. Konuştuklarımız, yaşadığımız gelişmeler hakkında notlar almıştın.

Defterini karıştırırken cesur fikirlerini, tek başına kalma pahasına, her zaman doğruyu söyleyen kişiliğini bir kez daha saygıyla andım. Bu defteri bir gün yayımlamaya ve adamızı kurtarmaya yemin ettim.

Bir süre sonra Başkan Köpekbalığı ve adamları, birer canavara dönüştürdükleri adalılarla baş başa verip yepyeni bir teknik denemeye karar verdiler.

Tilkiler ormanın kuytuluklarında rahatça saklanabildikleri için onları vurmak çok güç oluyordu. Onları dışarı çıkmaya zorlamak için, ormanda kontrollü bir yangın çıkartılacaktı.

Başkan'a artık hiç kimse itiraz etmediği için bu plan da uygulandı. Ormanın bir kıyısında, uzaktan bile alevlerini ve dumanını gördüğümüz bir yangın çıkarıldı. Yangın ilerledikçe tilkiler diğer bütün canlılarla birlikte ormandan kaçıyordu.

Adalıların bütün nefreti tilkilere yönelmişti artık. Neredeyse martıları bile unutmuşlardı. Hele doktor, tilkinin dünyada en çok kuduz yayan hayvan olduğunu söyledikten sonra adalılardaki korku ve nefret elle tutulur bir hal aldı.

Bir anda is kokusu sardı çevremizi. Sanki çok yakında odun yakılıyordu. Aradan çok geçmeden bahçeye dumanların dolmaya başladığını gördük. Birkaç kişi, "Yangın, yangın, kaçın!" diye bağırıyordu. Bir süre sonra da bize yaklaşan alevlerin sıcaklığı vurdu yüzümüze.

Sevgili dayıcım, adalılar kendini bu ateş etme, öldürme işine öylesine kaptırmıştı ki, aniden bir meltem gibi çıkan ve gittikçe güçlenen rüzgârı kimse fark etmemişti. Daha doğrusu, fark ettikleri zaman da çok geç olmuş, ormandaki yangın, şiddetli rüzgârın etkisiyle her tarafı kaplamıştı.

Koca orman sanki ağlayarak, patlayarak cayır cayır yanıyordu.

Başkan'ın adamları ve onların aklına uyan adalılar umutsuzca yangını söndürmeye çalıştılar ama artık bunun mümkün olmadığını hepimiz görüyorduk.

Fıstık çamlarımız çatırdayarak yandıktan sonra yangın iskeleye giden yolun iki yanındaki ağaçlara sıçradı, oradan da evlere. Göz açıp kapayıncaya kadar bir çok ev tutuştu.

Zaten ahşap oldukları için çıra gibi yandılar. Yakıcı alevden, boğucu dumandan kurtulabilmek için evlerden uzağa, deniz kıyısına kaçtık. Oradan bakınca, yangının ilerlediği yöndeki koskoca ağaçların, peş peşe çakılan birer kibrit çöpü gibi, âdeta patlayarak tutuştuğunu görüyorduk.

Adalılar korku dolu gözlerle, evlerinin teker teker yok oluşunu izliyorlardı. Artık yapacak hiçbir şey yoktu!

Sadece benim dilsiz arkadaşım yılmıyor, biz pişmanlıktan ve üzüntüden kaskatı kesilmiş bir halde her şeyin kül olmasını, elimiz kolumuz bağlı izlerken; bir tek o, umudunu kaybetmeden küçücük kovasıyla dev alevlerle savaşıyordu.

YİRMİ

Martılar, hepimizle alay eder gibi üstümüzden uçuyor, bu yanıp yıkılmış, kararmış adayı ve artık neredeyse hiçbir korunağı kalmamış insanları seyrediyorlardı. O anda saldırsalar onları hiçbir şekilde durduramamız mümkün değildi ama saldırmadılar. Sadece üstümüzde uçmakla yetindiler. Onların kıyısına bir şey olmamıştı. Eskisi gibi üremeye, avlanmaya, yumurtalarını güven içinde beklemeye devam edebilirlerdi. Kısacası onlar kazanmıştı bu savaşı.

Yangından geriye sadece kıyıdaki tekne, bakkal ve en uçtaki iki ev kalmıştı.

Adamız yok olmuştu ama büyükler hâlâ Başkan'ın tüm bunların suçlusu olduğunu fark etmiyorlardı.

Artık daha fazla seyirci kalmayacaktım, çocuk olduğum için susmayacaktım, sorunları büyüklerin çözmesini beklemeyecektim.

Dayımın küçücük defteri hep yanımdaydı. Cebimden çıkarıp titreyen ellerle bağıra bağıra okumaya başladım.

Gözümden sicim gibi yaşlar akıyor, sesim çatlıyordu.

Dayım ilk sayfalarda geldiği günleri anlatıyordu. Herkesin ismini geçiriyor, adalıların en sevilen özelliklerini ve tavırlarını bazen dokunaklı bazen komik bir şekilde sıralıyordu. Adlarını okurken herkesin eski güzel günleri düşünüp gözlerinin yaşlarla dolmaya başladığını fark ettim.

Defterin, bizden bahsettiği bölümüne gelince yutkundum. "Hayatımda birbirini bu kadar seven bir aile görmedim," diye yazmıştı. Artık okurken hıçkırmaya başlamıştım. Çünkü şöyle bitirmişti sözlerini:

"Onların bir parçası olduğum için gurur duyuyorum. Ama benim asıl ailem, bu ada. Bu topraklar, bu ağaçlar, bu hayvanlar, bu dostlar; benim annem, babam, kızım, oğlum, eşim. Burası benim hep özlemini çektiğim sevgi dolu yuvam."

Artık topluluk susmuş, nemli gözlerle suçlu suçlu bana bakıyordu. Âdeta benim bir şey yapmamı

bekliyorlardı. Başkan'ın telaşlanmaya başladığını fark ettim.

Tam zamanı olduğunu düşündüm ve herkese beni takip etmelerini söyledim.

Dilsiz dostum, elinden tuttuğumda ne yapacağımı anlamış, ürkmüştü.

"Korkma," diye fısıldadım ona yavaşça. Sonra arkamda bütün ada halkı, hızla arkadaşımın gizlediği kümesine yürüdüm.

Herkesin şaşkınlıktan ağzı açık kalmıştı.

"Rahatınızı kaçırıyorlar diye aylardır havyanları öldürdünüz, kendi ellerinizle hepimizin yuvasını yaktınız. Ama bakın bu havyanlar nasıl yaşıyorlar birlikte. Karşınızdaki kümese dikkatle bakın, bu savaşın ortasında bu tavuklar martılara annelik ediyor. Civcivler martı yavrularıyla koyun koyuna uyuyor. Arkadaşım sevgisiyle, aklıyla onları bir arada yaşatmayı başardı.

Dayımın hep dediği gibi eski günlerimizi hatırlayın, yine o günlere dönebiliriz. Hiçbir şey için geç değil. Hepinizi tanıyorum, içiniz sevgiyle dolu, onu uyandırın artık, çektiğimiz acılar yetmedi mi? Bizim birlikte yaşamak için bir başkana ihtiyacımız yok."

Bunu söylememle herkesin kafası teker teker Başkan'a döndü.

Hep bir ağızdan Başkan'a gitmesini, burada yeri olmadığını, her şeyin suçlusunun o olduğunu söylemeye başladılar, artık Başkan'ın adamlarından da kimse korkmuyordu. Korku sınırı aşılmıştı sonunda. Bir süre Başkan ve adamları karanlık bakışlarla bizleri süzdüler. Başkan hâlâ bizi kurtaracağını geveliyordu. Ama artık kimse onu duymuyor, dinlemiyordu.

Ortam patlamaya hazır bir bomba gibiydi.

Tam o sırada, dilsiz arkadaşım ilk kez duyduğumuz sesiyle martıları bile dehşete düşürecek bir çığlık atarak Başkan'ın adamlarına doğru olanca hızıyla koştu, ellerini açıp üstlerine atladı ve çarpmanın etkisiyle ikisini birlikte yere yıktı. Kuvvetine ve cesaretine kimse inanamıyordu.

Adamların silahlarını kaptığı gibi uçuruma doğru koşmaya başladı. Adamlar bir anlık sersemlikten sonra kendilerine gelince Dilsiz'in peşine düşmeye yeltendiler. Ama adalılar hemen adamların üstüne çullanıp onları engellediler. Artık korkmadıklarından birlikte ne kadar güçlü olabileceklerini ilk defa fark etmişlerdi.

Bir taraftan da herkes arkadaşıma "Dur, dikkat et!" diye bağırıyordu, kötü bir şey yapacağından endişelenmişlerdi.

Ama o ne yaptı biliyor musun dayıcım? Silahları bütün gücüyle denize fırlattı. Neredeyse düşecekken son anda kurtardı kendini.

Onun sesini ilk kez duyuyor, hiçbir zaman, kimseye karşı kullanmadığı gücünü ilk kez görüyorduk. Bu çığlığı duyanların bir daha unutabileceklerini sanmam. Öfke ve isyan yüklü bir çığlıktı bu; dünyanın bütün haksızlıklarına, bütün zulümlerine karşı atılmış müthiş bir çığlık.

Herkes sus pus olmuştu. İlk kendine gelip konuşan annem oldu.

"Başkan Bey biz adalılar olarak adamlarınızla hemen gitmenizi istiyoruz, zorluk çıkartırsanız, ellerinizi bağlarız. Gördüğünüz gibi sizin gibi silahlara ihtiyacımız yok bizim."

Başkan bir şeyler söylemeye çalıştı ama beceremedi.

Bir başka adalı komşumuz "Şu küçücük çocuklar olmasaydı hâlâ bizi kurtaracağınıza inanacaktık, yazıklar olsun hepimize," dedi pişmanlıkla.

"Martılar ve biz sizi yendik Başkan Bey," dedim gülümseyerek.

Başkan hâlâ pes etmemişti, bağırmaya başladı: "Ne terbiyesiz insanlarsınız siz! Bir çocuk büyüğüyle nasıl böyle konuşur! Martılar beni nasıl yenermiş? Bütün başınıza gelenler sizin beceriksizliğinizden..."

"Hayır, sizin yüzünden. Her şeye siz sebep oldunuz. Adamızı siz mahvettiniz," diye araya girdim. Kalabalıktan bir iki kişi, "Evet, doğru. Bu adam gelmeden önce her şey iyiydi," diye söylendi.

Noter amca, "Keşke o uğursuz ayağını bu adaya hiç basmasaydın!" diye bağırdı.

O an bir hıçkırık duyuldu, Başkan'ın kız torunu elleriyle yüzünü kapatmış ağlıyor, erkek kardeşi de ablasına sarılmaya çalışıyordu.

"Dede yeter artık! Görmüyor musun, insanlara, hayvanlara neler yaptığını. İnat etmeyi bırak artık. Bütün yaptıkların yanlıştı, kabul et. Burada istenmiyorsun. Utanıyorum senden!.. Kardeşimle gidiyoruz bu adadan, bizi durdurmaya kalkma sakın."

Sonunda o da korkusunu yenmiş, doğru bildiğini dedesinin yüzüne ilk kez söylemişti; kardeşine sarıldı ve arkasını dönüp yavaşça yürümeye başladı.

Başkan işte o an, pes etmişti.

Onu ilk defa böyle görüyorduk. Elleri ayakları titremeye başlamış, paniklemişti. Yüzü bembeyaz olmuş ne diyeceğini bilemiyordu. Hayatta en çok sevdiği insandan bu sözleri duymak, kimsenin yapamayacağı kadar çok üzmüştü onu.

Başkan yavaşça arkasını döndü, hâlâ dik durmaya çalışıyordu ama çöktüğünü görebiliyorduk. Sanırım sarı gözyaşlarına hâkim olamıyordu ve ağladığını görmemizi istemiyordu. Bu onun en büyük yenilgisi olmuştu.

Tüm hayatı boyunca yaptıklarının yanlışlığını görmemiş ve bir diktatör olduğunu kabul etmemişti; ta ki küçük torunu bunu yüzüne haykırana kadar.

Herkes donmuş, Başkan'ı izliyordu. Hiçbir şey demeden, hiçbirimizin yüzüne bakmadan, arkasını bir an bile dönmeden, torunlarının elini tuttu. Karısı ve adamları da apar topar peşlerine düştüler. Yorgun adımlarla motora binip hızla adadan ayrıldılar.

Bizler yaralı, kırgın, acılı ve öfkeli bir kalabalık olarak kaldık adada.

Hepimiz biliyorduk ki, Başkan'a boyun eğdiğimiz ve adım adım içine sürüklendiğimiz zulmün ne kadar kötüleşebileceğini tahmin edemediğimiz için adamız yanmıştı.

Daha o ağaçlar kesildiği, masum arkadaşım dövüldüğü zaman ses çıkarmalı, baş kaldırmalıydık. Ama bunu yapamamıştık. Başkan'ın attığı her adımı büyük bir saflıkla kabul etmiştik. Martılar ise karşı koydukları ve uzlaşmadıkları için yuvalarını kaybetmemişlerdi.

Boyun eğen insanlar mı, yoksa başkaldıran martılar mı daha akıllıydı?

Ama son anda da olsa bizler, Son Ada'nın çocukları birlikte büyüklerin gözlerini açmayı başarmıştık.

Bir süre sonra herkesin yüzünde yavaş yavaş bir gülümseme belirdi. Her şeye yeniden başlanacaktı.

Adayı en iyi gören tepede, felaketin tamamını anlayabilmek için toplandık. Adanın her tarafından siyah dumanlar tütüyordu. Korkunç bir yanık kokusu kaplamıştı ortalığı.

Tam o sırada dilsiz arkadaşımın eliyle tam karşımızı işaret ettiğini gördüm. İleride bir karaltı hareket ediyordu.

Gözlerimize inanamıyorduk. Gelen sendin. Sapasağlam karşımızda duruyor, bize gülerek el sallıyordun.

Hiçbir zaman bana Başkan'ın adamlarının elinden nasıl kaçıp kurtulduğunu söylemedin. "Biraz gizem, hikâyeni daha çekici kılar," dedin. Ama ben biliyordum, benim inandığım masal doğruydu, yanılmamıştım.

Yanımıza gelip arkadaşımla benim omuzlarımıza ellerini koydun.

"Hadi işe koyulalım, kaybedecek zamanımız yok," dedin.

Herkes birbirini kucaklıyor, göz yaşlarına kahkahalar karışıyordu.

Birkaç gün bütün adalılar insan üstü bir güçle, toparlanmak, elimizde kalanlarla adadaki hayatı yeniden kurmak için çalıştık.

Sonra bir sabah, sen dayıcım küçük bir tören yapmamız gerektiğini söyledin. "Size bir sürprizim var!" diye de ekledin gülerek. Hepimiz peşinden koştuk.

Elinde bir kesekâğıdı tutuyordun. Şimdi bile nereden bulduğunu bir türlü öğrenemediğim küçücük bir fidanı kesekâğıdından çıkarıp dilsiz arkadaşımla bana verdin.

"Dostlarım 'Son Ada'nın çocukları' olmasaydı, adamızı kurtaramayacaktık. İzninizle ilk fidanı onlar diksinler."

Büyükler dilsiz arkadaşımla bana sarılıyor, teşekkür ediyordu.

Fidanı diktikten sonra dayıcım kulağıma şöyle fısıldadın:

"Sevgili dostum, artık adamızı eski haline getirmeyi biz büyüklere bırak. Şimdi senin görevin hikâyemizi anlatmak, sana son öğüdüm bu: Sadece hikâyeni anlat!"

Ben de öyle yaptım.

Son Ada'yı yitirip tekrar bulmamızın hikâyesini anlattım.

Fotoğraf: Cem Talu

Romanları 34 dilde yayımlanan Ömer Zülfü Livaneli, 1946 yılında doğdu. Ankara'da Maarif Koleji'nde okudu, Stockholm'de felsefe ve müzik eğitimi gördü. Harvard ve Princeton gibi üniversitelerde konferanslar ve dersler veren, romanları, fikirleri ve müziği ile dünya basınında övgülerle karşılanan bir sanatçı olan Livaneli, edebiyat, müzik ve sinema alanlarında 30'dan fazla ulusal ve uluslararası ödül sahibi.

Livaneli, 1999 yılında San Remo'da En İyi Besteci ödülüne layık görüldü. Müzik eserleri Londra, Moskova, Berlin, Atina, İzmir senfoni orkestraları tarafından icra edildi.

Türkiye dışında Çin Halk Cumhuriyeti, İspanya, Kore ve Almanya'da da çok satanlar arasına giren romanlarıyla, Balkan Edebiyat Ödülü'ne, ABD'de Barnes and Noble Büyük Yazar Ödülü'ne, İtalya ve Fransa'da Yılın Kitabı Ödülü'ne, Türkiye'de ise Yunus Nadi Ödülü'ne ve Orhan Kemal Roman Ödülü'ne layık görüldü.

Livaneli, dünya kültür ve barışına yaptığı katkılardan ötürü 1996 yılında Paris'te UNESCO tarafından Büyükelçilikle onurlandırıldı ve Genel Direktör danışmanlığına atandı. 2002-2006 yılları arasında TBMM'de ve Avrupa Konseyi'nde milletvekilliği görevinde bulundu. 2014 yılında Fransa'nın Legion d'honneur nişanı ile ödüllendirildi.